FRANCE

ATLAS ROUTIER

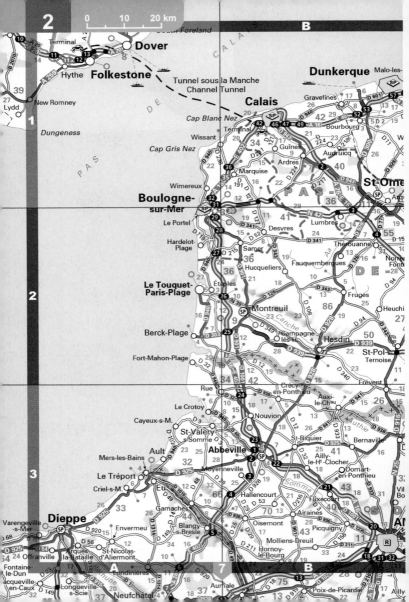

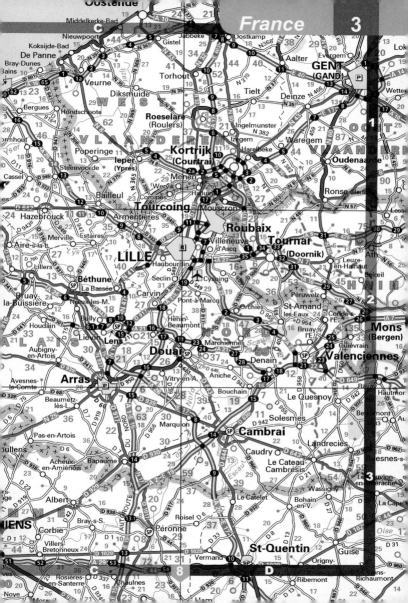

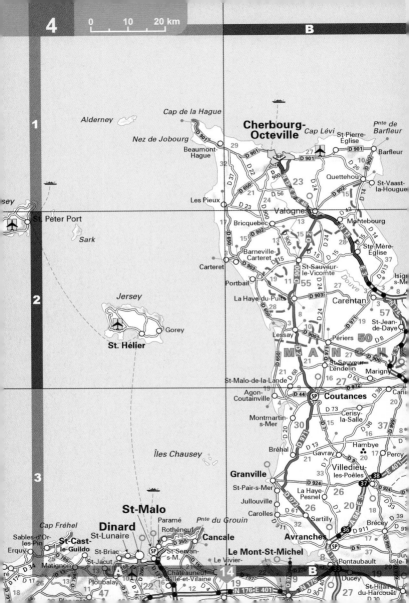

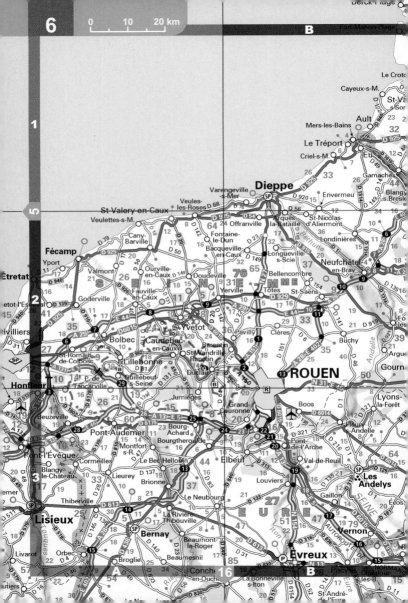

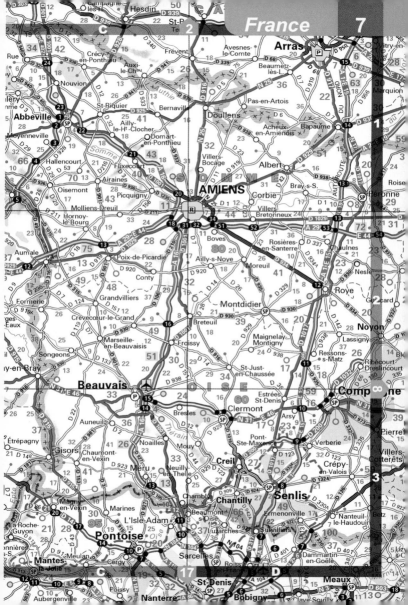

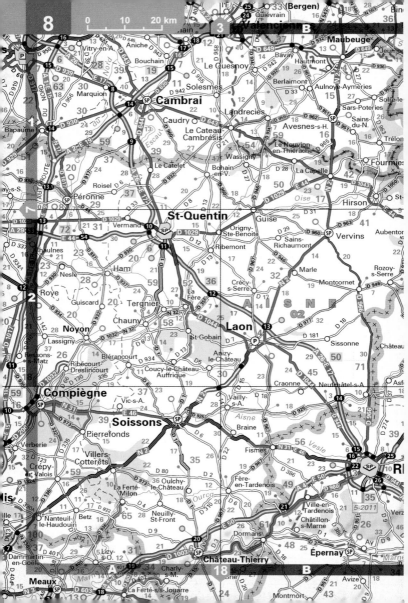

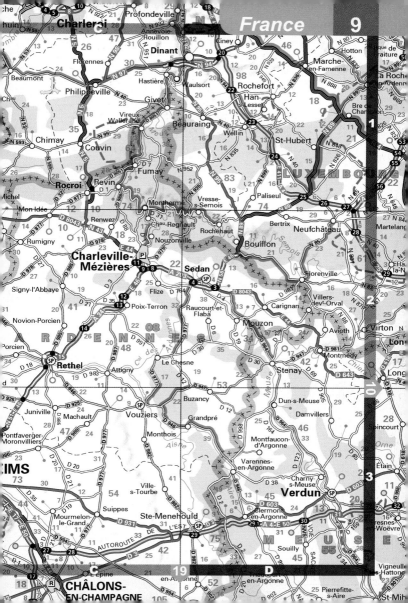

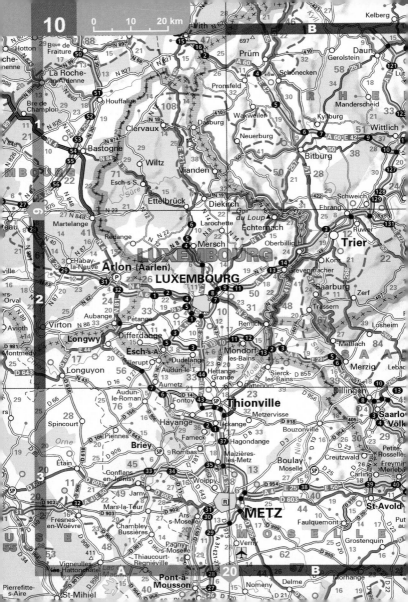

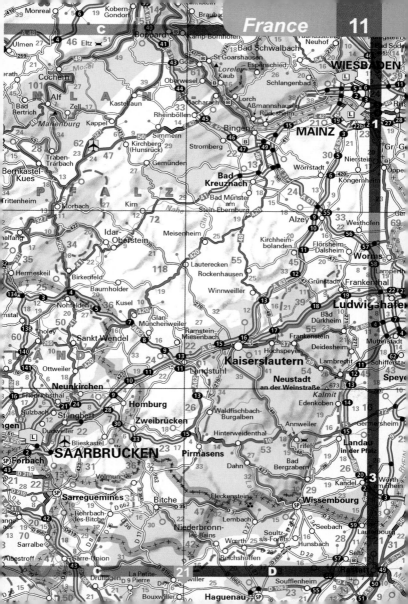

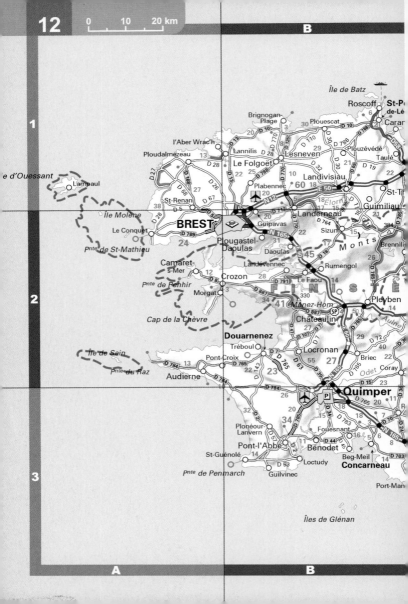

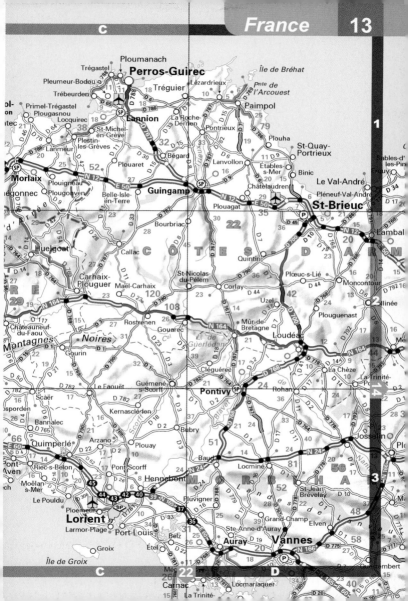

Ploumanach
Trégastel
Pleumeur-Bodou
Trébeurden
Perros-Guirec
Île de Bréhat
Lézardrieux
Tréguier
Pnte de l'Arcouest
Paimpol
Primel-Trégastel
Plougasnou
Locquirec
St-Michel-en-Grève
Lannion
La Roche-Derrien
Pontrieux
Plouha
St-Quay-Portrieux
Sables-d'les-Pin
Frouy
Morlaix
Plouigneau
Plougonven
Belle-Isle-en-Terre
Plestin-les-Grèves
Lanmeur
Plouaret
Bégard
Guingamp
Lanvollon
Étables-s-Mer
Binic
Le Val-André
Pléneuf-Val-André
Châtelaudren
St-Brieuc
Lamball
Plouagat
Bourbriac
C Ô T E S D' A R M
Huelgoat
Callac
Quintin
Plœuc-s-Lié
Moncontour
Carhaix-Plouguer
Maël-Carhaix
St-Nicolas-du-Pélem
Corlay
Uzel
Plouguenast
ollinée
Rostrenen
Gouarec
Mûr-de-Bretagne
Loudéac
Montagnes Noires
Gourin
Lc de Guerlédan
Cléguérec
La Chèze
La Trinité-Po
Scaër
Le Faouët
Guéméné-s-Scorff
Pontivy
Rohan
Josselin
Kernascléden
Bubry
Quimperlé
Arzano
Plouay
Baud
Locminé
Riec-s-Bélon
Pont-Scorff
Moëlan-s-Mer
Le Pouldu
Ploemeur
Lorient
Hennebont
M O R B I H A
Pluvigner
St-Jean-Brévelay
Elven
Larmor-Plage
Port-Louis
Belz
Grand-Champ
Ste-Anne-d'Auray
Auray
Vannes
Groix
Île de Groix
Étel
Méc
Carnac
Locmariaquer
La Trinité-

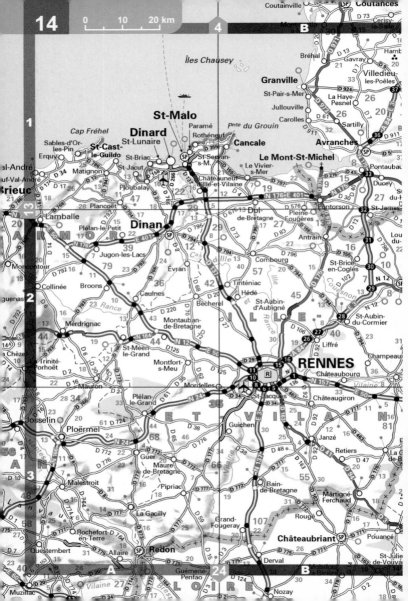

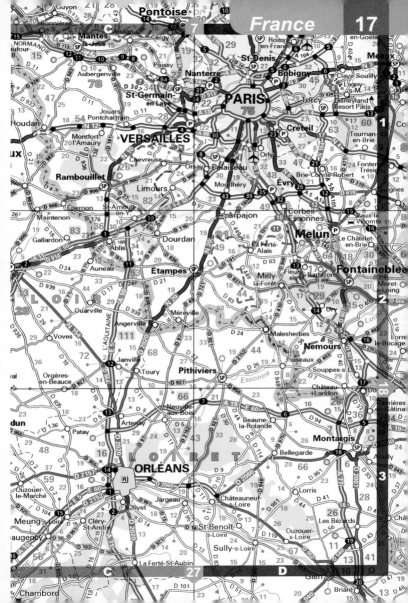

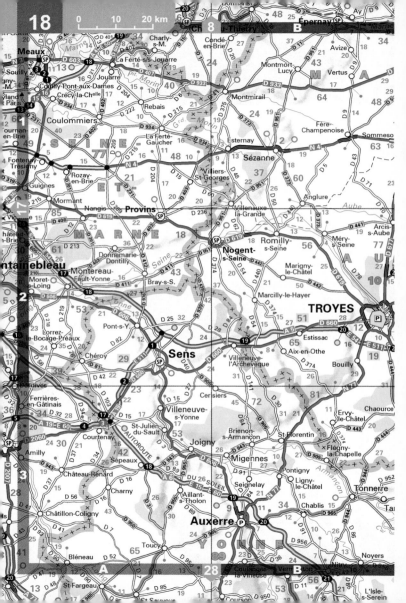

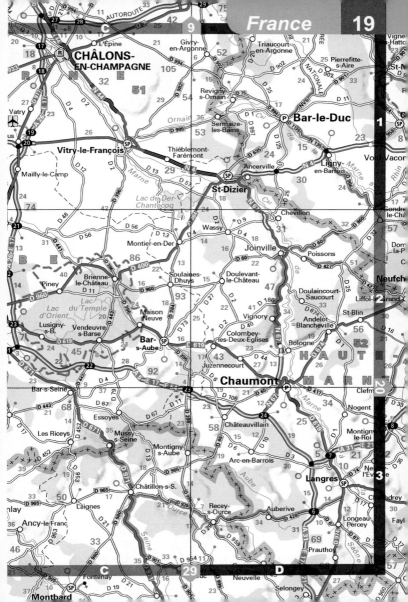

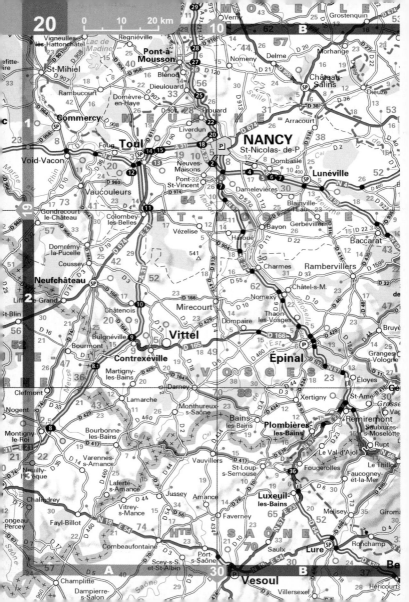

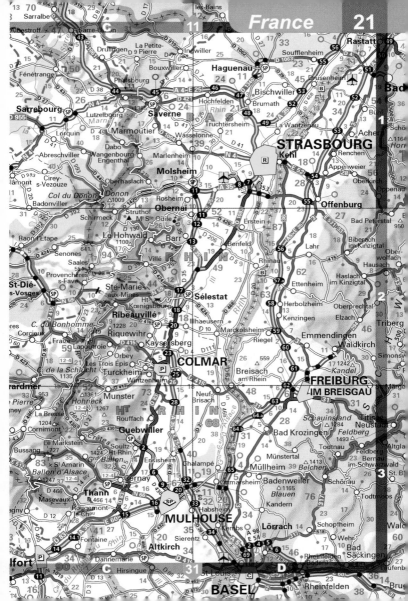

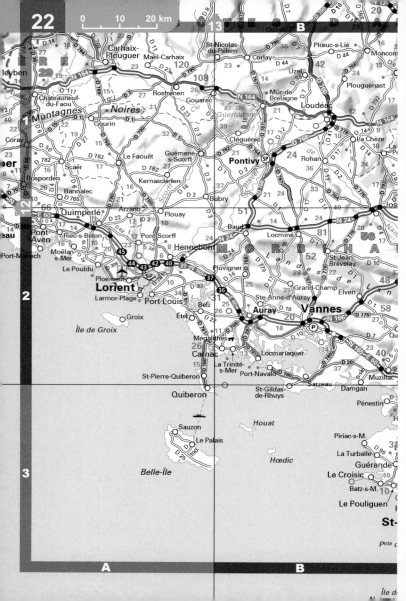

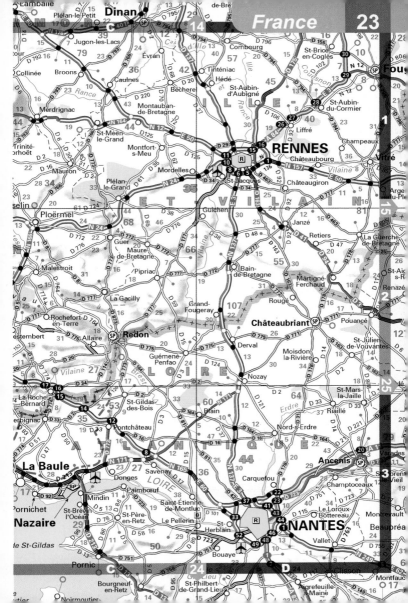

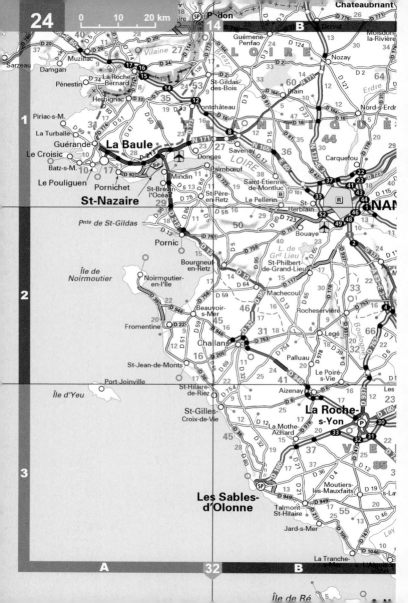

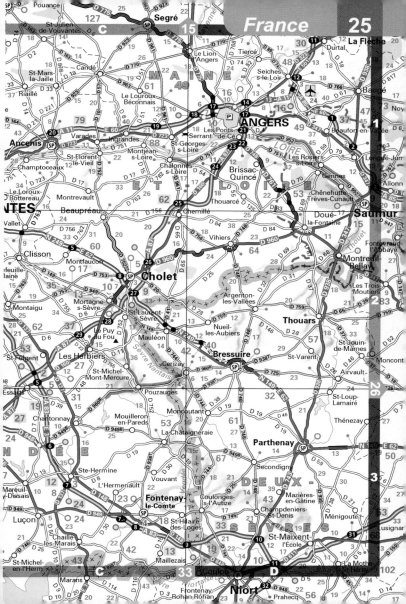

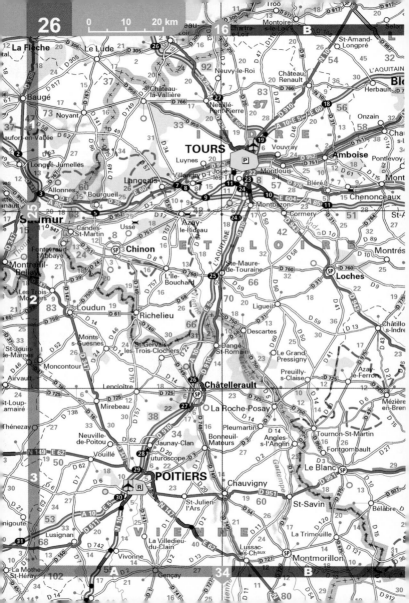

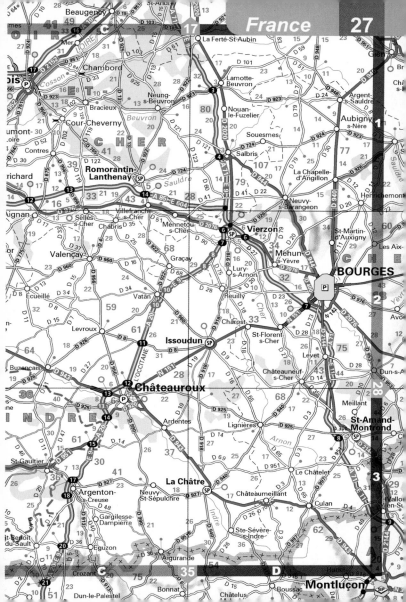

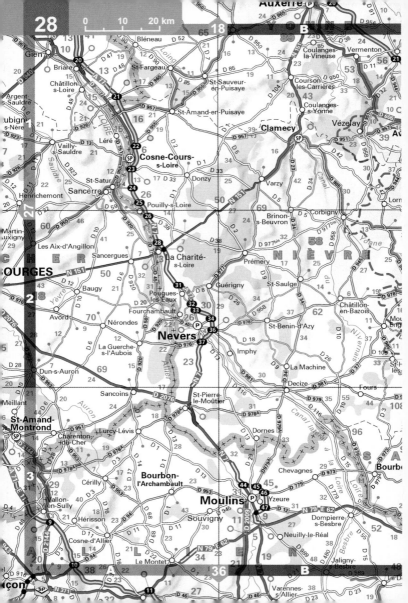

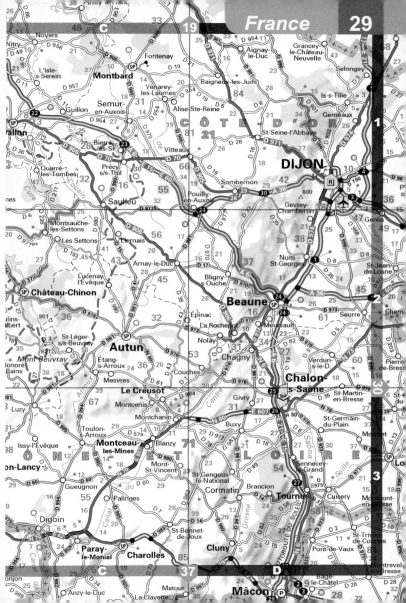

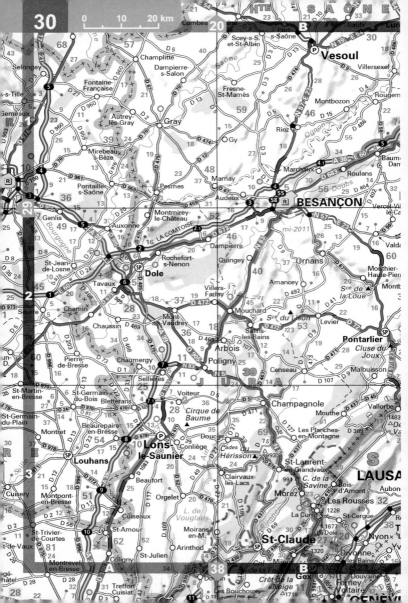

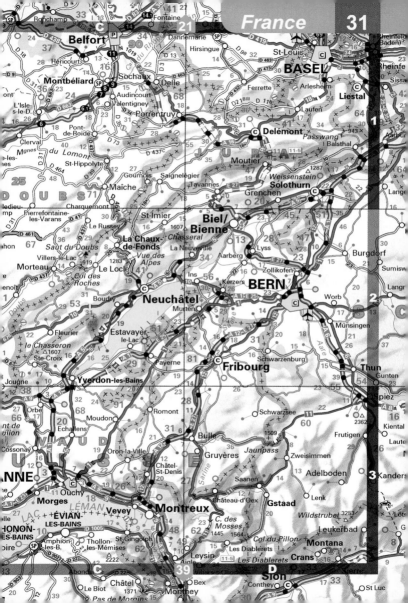

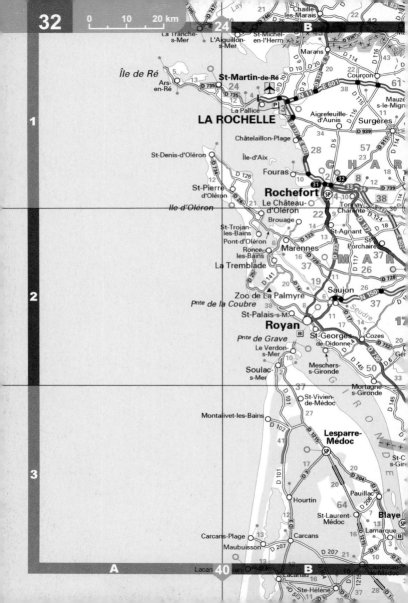

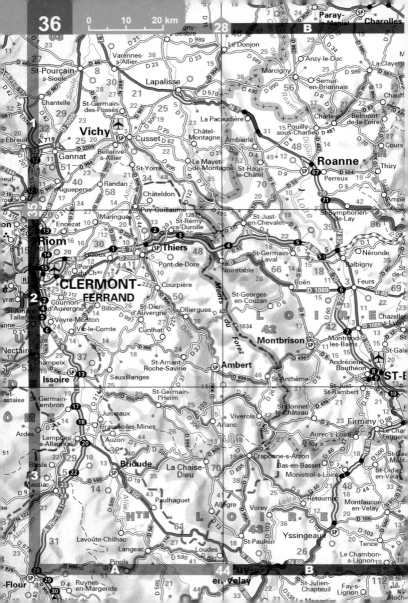

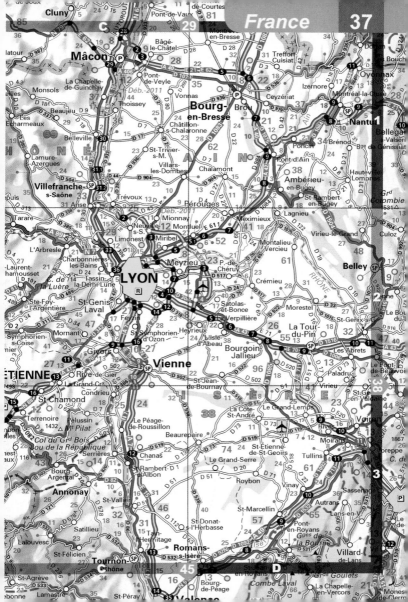

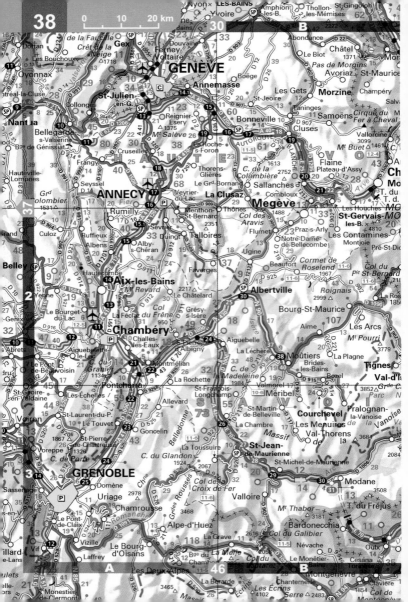

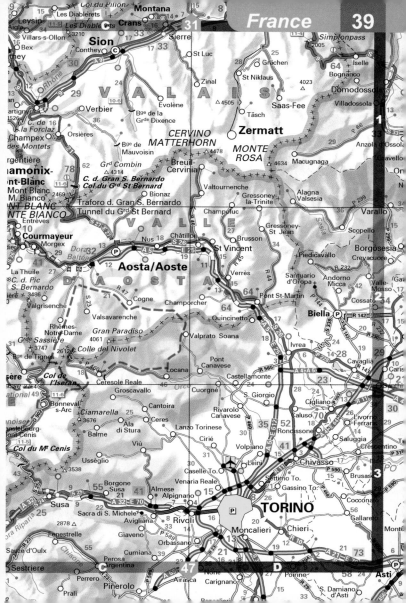

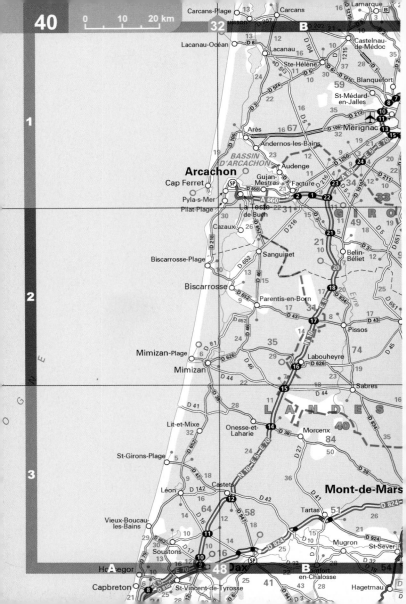

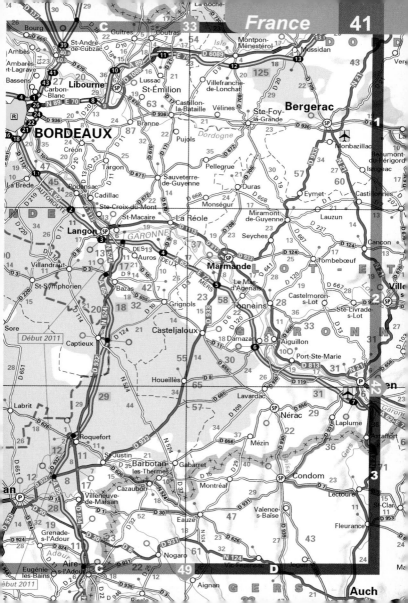

33

Bourg
Guîtres
Coutras
Isle
Montpon-
Ménestérol
Mussidan
St-André-
de-Cubzac
D 6089
Villefranche-
de-Lonchat
125
Ambès
Ambares-
et-Lagrave
Bassens
Libourne
Lussac
St-Émilion
Castillon-
la-Bataille
Vélines
Ste-Foy-
la-Grande
Bergerac
Carbon-
Blanc
BORDEAUX
Branne
Dordogne
Pujols
Monbazillac
Beaumont-
du-Périgord
Issigeac
Créon
Targon
Sauveterre-
de-Guyenne
Pellegrue
Duras
Eymet-
Castillonnès
La Brède
Podensac
Cadillac
Ste-Croix-du-Mont
Monségur
Miramont-
de-Guyenne
Lauzun
Cancon
Villandraut
St-Macaire
La Réole
Seyches
Langon
GARONNE
St-Symphorien
Auros
Marmande
Tombeboeuf
Villeneuve
Bazas
Le Mas-
d'Agenais
Castelmoron-
s-Lot
Ste-Livrade-
s-Lot
Sore
Grignols
Tonneins
Casteljaloux
Damazan
Aiguillon
Port-Ste-Marie
Début 2011
Captieux
Houeillès
Lavardac
Nérac
Laplume
Labrit
Astaffort
Roquefort
Mézin
Condom
Lectoure
S. Justin
Barbotan-
les-Thermes
Gabarret
Cazaubon
Montréal
Villeneuve-
de-Marsan
Eauze
Valence-
s-Baïse
Fleurance
Grenade-
s-l'Adour
Nogaro
Vic-Fezensac
St-Clar
Eugénie-
les-Bains
Aire-
s-l'Adour
Aignan
Début 2011
Auch

G E R S

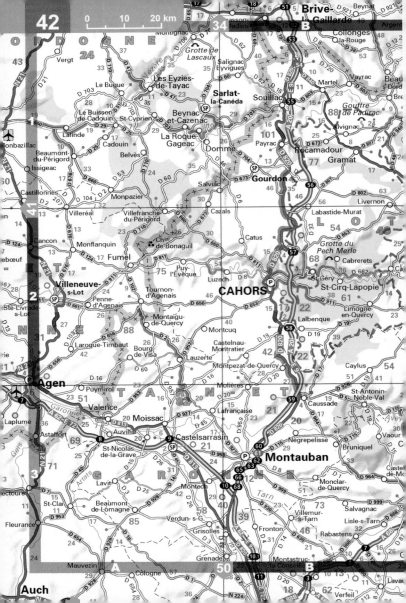

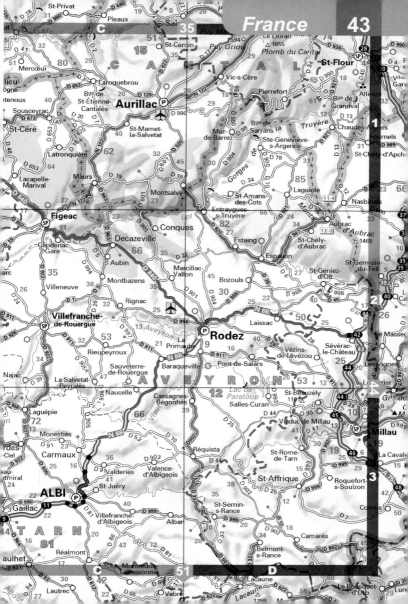

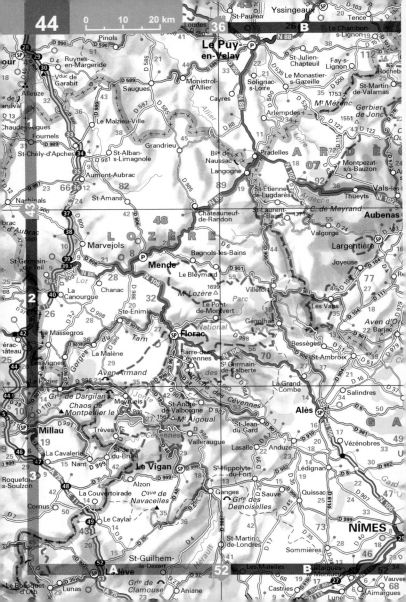

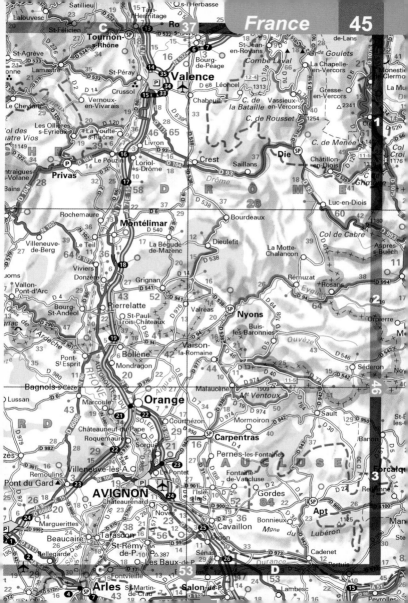

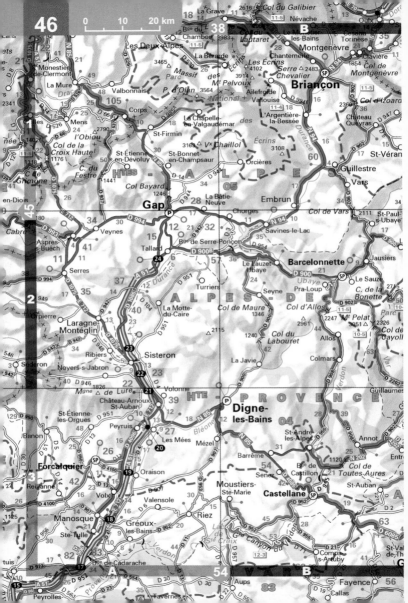

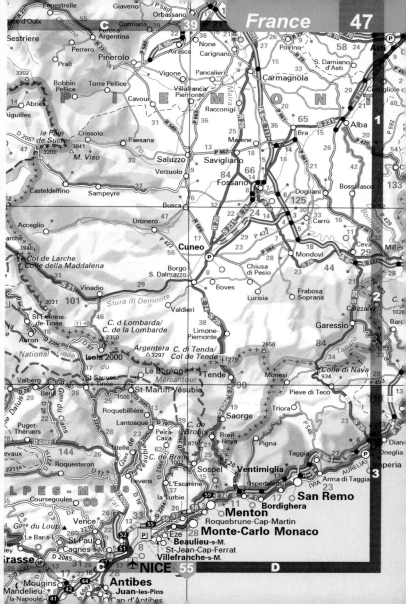

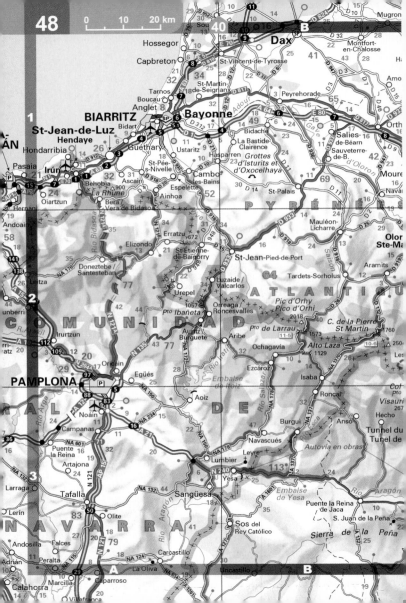

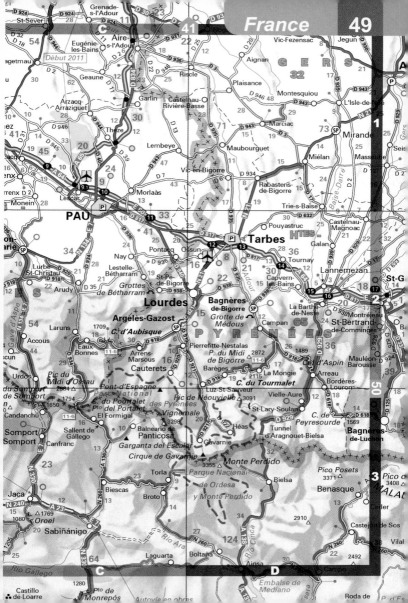

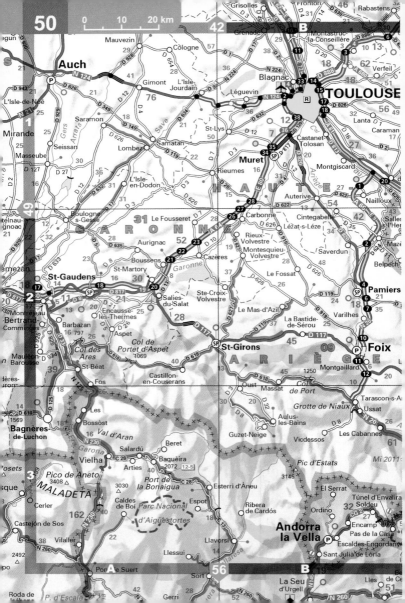

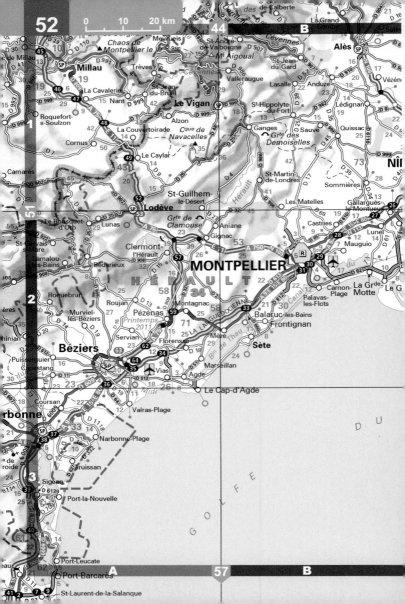

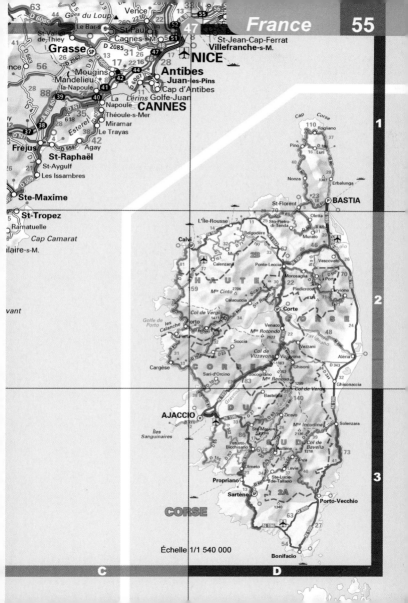

CORSE

Échelle 1/1 540 000

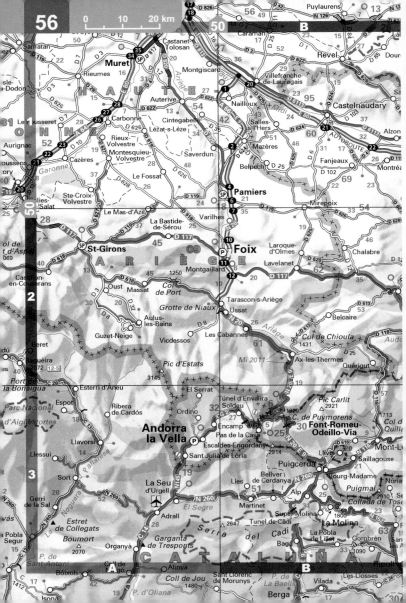

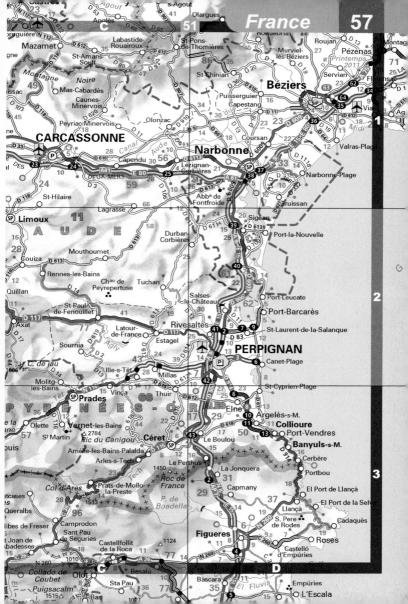

Amiens · Angers · Bayonne · Besançon · Bordeaux · Brest · Caen · Calais · Cherbourg-Octeville · Clermont-Ferrand · Dijon · Grenoble · Le Havre · Lille · Limoges · Lyon · Le Mans · Marseille

Amiens	Angers	Bayonne	Besançon	Bordeaux	Brest	Caen	Calais	Cherbourg-Octeville	Clermont-Ferrand	Dijon	Grenoble	Le Havre	Lille	Limoges	Lyon	Le Mans	Marseille
421																	
903	564																
558	649	914															
724	384	192	736														
628	378	831	962	633													
256	253	795	649	616	375												
160	512	1054	655	875	719	347											
377	372	878	771	681	423	124	467										
558	448	561	370	381	824	601	713	720									
474	551	836	97	673	862	548	573	670	308								
709	727	823	315	686	1103	806	871	928	297	303							
185	330	872	611	692	469	96	275	218	574	512	769						
122	513	987	583	807	762	390	114	512	642	495	797	319					
526	265	408	499	228	605	490	682	609	237	436	542	540	611				
602	607	774	229	595	983	698	763	820	205	195	114	661	693	450			
335	96	634	578	454	397	166	425	285	440	479	719	243	427	329	569		
913	908	698	541	648	1283	1010	1075	1132	477	507	309	973	1005	694	316	892	
368	620	1093	268	919	917	571	467	693	569	262	564	543	367	723	457	532	769
885	775	532	526	482	1120	928	1041	1047	338	492	293	899	970	528	300	760	168
554	774	1038	137	859	1028	714	697	836	493	222	436	676	597	621	381	643	696
383	666	1084	209	905	897	586	482	708	515	208	509	557	419	642	403	505	715
508	89	516	752	336	298	293	598	339	536	653	814	385	601	352	694	186	972
1077	1071	861	704	812	1447	1174	1239	1296	641	671	330	1136	1168	858	479	1056	213
269	245	647	418	467	591	321	425	443	300	319	576	283	354	269	469	144	760
135	297	771	415	591	594	234	297	357	426	316	573	197	226	395	466	209	778
982	754	498	676	448	1086	978	1137	1097	435	643	444	996	1066	494	451	810	320
174	431	905	380	725	728	382	273	505	535	292	594	348	203	529	488	343	800
441	130	630	725	450	243	188	531	235	596	625	875	280	574	417	776	161	1056
124	299	841	546	661	501	128	214	251	509	447	704	91	257	478	597	211	910
660	576	715	288	535	952	729	822	848	146	254	154	700	751	391	63	561	335
524	775	1151	250	971	1072	726	623	849	606	335	531	698	523	733	494	687	808
976	971	761	604	711	1347	1073	1138	1195	540	570	330	1036	1068	757	379	955	64
812	551	300	737	245	883	775	967	894	383	674	532	826	896	291	539	607	407
373	124	534	521	355	497	264	523	383	341	422	619	341	457	229	469	96	800

DISTANCES ENTRE PRINCIPALES VILLES

Les distances sont comptées à partir du centre-ville et par la route la plus pratique, c'est-à-dire celle qui offre les meilleures conditions de roulage, mais qui n'est pas nécessairement la plus courte.

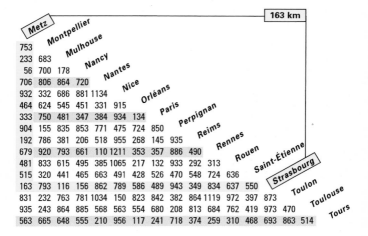

163 km

	Metz	Montpellier	Mulhouse	Nancy	Nantes	Nice	Orléans	Paris	Perpignan	Reims	Rennes	Rouen	Saint-Étienne	Strasbourg	Toulon	Toulouse
Montpellier	753															
Mulhouse	233	683														
Nancy	56	700	178													
Nantes	706	806	864	720												
Nice	932	332	686	881	1134											
Orléans	464	624	545	451	331	915										
Paris	333	750	481	347	384	934	134									
Perpignan	904	155	835	853	771	475	724	850								
Reims	192	786	381	206	518	955	268	145	935							
Rennes	679	920	793	661	110	1211	353	357	886	490						
Rouen	481	833	615	495	385	1065	217	132	933	292	313					
Saint-Étienne	515	320	441	465	663	491	428	526	470	548	724	636				
Strasbourg	163	793	116	156	862	789	586	489	943	349	834	637	550			
Toulon	831	232	763	781	1034	150	823	842	382	864	1119	972	397	873		
Toulouse	935	243	864	885	568	563	554	680	208	813	684	762	419	973	470	
Tours	563	665	648	555	210	956	117	241	718	374	259	310	468	693	863	514

A
B
C
D
E
F
G
H
I
J
K
L
M
N
O
P
Q
R
S
T
U
V
W
X
Y
Z

Localité ⟶ Achmelvich .... 84 E 9 ⟵ Coordonnées de carroyage

Numéro de page ⌐

A

Abbeville .... 2 B 3
L'Aber-Wrac'h .... 12 A 1
Ablis .... 17 C 2
Abondance .... 38 B 1
Abreschviller .... 21 C 1
Les Abrets .... 37 D 2
Abriès .... 47 C 1
Accous .... 49 C 1
Acheux-en-Amiénois .... 3 C 3
Agay .... 55 C 1
Agde .... 52 A 2
Agen .... 41 D 3
Agon-Coutainville .... 4 B 3
Ahun .... 35 C 1
L'Aigle .... 16 A 1
Aigle *(Barrage de l')* .... 35 C 3
Aignan .... 49 D 1
Aignay-le-Duc .... 29 D 1
Aigoual *(Mont)* .... 44 A 3
Aigre .... 33 D 2
Aigrefeuille-d'Aunis .... 32 B 1
Aigrefeuille-sur-Maine .... 24 B 3
Aiguebelette-le-Lac .... 38 A 2
Aiguebelle .... 38 B 2
Aigueperse .... 36 A 1
Aigues-Mortes .... 52 B 2
Aiguilles .... 47 C 1
Aiguillon .... 41 D 2
L'Aiguillon-sur-Mer .... 32 B 1
Aigurande .... 27 C 3
Ailefroide .... 46 B 1
Aillant-sur-Tholon .... 18 A 3
Ailly-le-Haut-Clocher .... 2 B 3
Ailly-sur-Noye .... 7 D 2
Aimargues .... 53 C 2
Aime .... 38 B 2
Ainhoa .... 48 A 1
Airaines .... 2 B 3
Aire-sur-la-Lys .... 3 C 2
Aire-sur-l'Adour .... 49 C 1
Airvault .... 25 D 3
Aix *(Ile d')* .... 32 B 1
Les Aix-d'Angillon .... 28 A 2
Aix-en-Othe .... 18 B 2
Aix-en-Provence .... 54 A 1

Aix-les-Bains .... 38 A 2
Aixe-sur-Vienne .... 34 A 2
Aizenay .... 24 B 3
Ajaccio .... 55 D 3
Alban .... 43 C 3
Albens .... 38 A 2
Albert .... 3 C 3
Albertville .... 38 B 2
Albestroff .... 11 C 3
Albi .... 43 C 3
Alby-sur-Chéran .... 38 A 2
Alençon .... 15 D 2
Aléria .... 55 D 2
Alès .... 44 B 3
Alise-Ste-Reine .... 29 D 1
Allaire .... 14 A 3
Allanche .... 35 D 3
Allègre .... 36 B 3
Alleuze .... 43 D 1
Allevard .... 38 A 3
Allonnes .... 26 A 1
Allos .... 46 B 2
Allos *(Col d')* .... 46 B 2
Alpe-d'Huez .... 38 A 3
Altkirch .... 21 C 3
Alvignac .... 42 B 1
Alzon .... 44 A 3
Alzonne .... 51 C 2
Amance .... 20 B 3
Amancey .... 30 B 2
Ambarès-et-Lagrave .... 41 C 1
Ambazac .... 34 B 2
Ambérieu-en-Bugey .... 37 D 1
Ambert .... 36 B 2
Ambès .... 41 C 1
Ambierle .... 36 B 1
Amboise .... 26 B 1
Ambrières-les-Vallées .... 15 C 2
Amélie-les-Bains-Palalda .... 51 D 3
Amiens .... 7 D 2
Amilly .... 18 A 3
Amou .... 48 B 1
Amphion-les-Bains .... 31 C 3
Amplepuis .... 36 B 1
Ancenis .... 23 D 3
Ancerville .... 19 D 1
Ancy-le-Franc .... 19 C 3

Andelot .... 19 D 2
Les Andelys .... 6 B 3
Andernos-les-Bains .... 40 B 1
Andrézieux-Bouthéon .... 36 B 2
Anduze .... 44 B 3
Anet .... 17 C 1
Angers .... 25 D 1
Angerville .... 17 C 2
Anglès .... 51 D 1
Angles-sur-l'Anglin .... 26 B 3
Anglet .... 48 A 1
Anglure .... 18 B 1
Angoulême .... 33 D 2
Aniane .... 52 A 2
Aniche .... 3 D 2
Anizy-le-Château .... 8 A 2
Annecy .... 38 A 2
Annemasse .... 38 A 1
Annonay .... 37 C 3
Annot .... 46 B 3
Anse .... 37 C 2
Antibes .... 55 C 1
Antibes *(Cap d')* .... 55 C 1
Antraigues-sur-Volane .... 45 C 1
Antrain .... 14 B 2
Anzy-le-Duc .... 36 B 1
Apt .... 45 D 3
Aramits .... 48 B 1
Aravis *(Col des)* .... 38 B 2
Arbois .... 30 B 2
L'Arbresle .... 37 C 2
Arc-en-Barrois .... 19 D 3
Arcachon .... 40 B 1
Archiac .... 33 C 2
Arcis-sur-Aube .... 19 C 2
L'Arcouest *(Pointe de)* .... 13 D 1
Les Arcs *(Savoie)* .... 38 B 2
Les Arcs *(Var)* .... 54 B 1
Ardentes .... 27 C 3
Ardes .... 36 A 3
Ardres .... 2 B 1
Arès .... 40 B 1
Ares *(Col des)* .... 50 A 2
Argelès-Gazost .... 49 C 2
Argelès-sur-Mer .... 57 D 3
Argent-sur-Sauldre .... 27 C 2
Argentan .... 15 D 1

Argentat .... 35 C 3
Argentière .... 39 C 1
L'Argentière-
la-Bessée .... 46 B 1
Argenton-Château .... 25 D 2
Argenton-sur-Creuse .... 27 C 3
Argentré-du-Plessis .... 15 C 3
Argueil .... 6 B 2
Arinthod .... 30 A 3
Arlanc .... 36 B 3
Arlempdes .... 44 B 1
Arles .... 53 C 2
Arles-sur-Tech .... 51 D 3
Armentières .... 3 C 2
Arnac-Pompadour .... 34 B 3
Arnay-le-Duc .... 29 D 2
Arpajon .... 17 D 1
Arques .... 2 B 1
Arques-la-Bataille .... 6 B 2
Arracourt .... 20 B 1
Arras .... 3 C 3
Arreau .... 49 D 2
Arrens-Marsous .... 49 C 2
Arromanches-les-Bains .... 5 C 2
Ars-en-Ré .... 32 A 1
Ars-sur-Moselle .... 10 A 3
Arsy .... 7 D 3
Artenay .... 17 C 3
Arudy .... 49 C 2
Arzacq-Arraziguet .... 49 C 1
Arzano .... 13 C 3
Ascain .... 48 A 1
Asco .... 55 D 2
Asfeld .... 8 B 2
Aspet .... 50 A 2
Aspin *(Col d')* .... 49 D 2
Astaffort .... 42 A 3
Attigny .... 9 C 2
Aubagne .... 54 A 2
Aubenas .... 45 C 3
Aubenton .... 9 C 2
Aubergenville .... 17 C 1
Auberive .... 19 D 3
Aubeterre-sur-Dronne .... 33 D 3
Aubigny-sur-Nère .... 27 D 1
Aubin .... 43 C 2
Aubisque *(Col d')* .... 49 C 2
Aubrac .... 43 D 2
Aubusson .... 35 C 2
Auch .... 50 A 1
Audenge .... 40 B 1

Audeux .... 30 B 1
Audierne .... 12 A 2
Audincourt .... 31 C 1
Audruicq .... 2 B 1
Aullène .... 55 D 3
Aulnay .... 33 C 1
Aulnoye-Aymeries .... 8 B 1
Ault .... 2 A 3
Aulus-les-Bains .... 50 B 3
Aumale .... 7 C 2
Aumetz .... 10 A 2
Aumont-Aubrac .... 44 A 1
Aunay-sur-Odon .... 5 C 3
Auneau .... 17 C 2
Auneuil .... 7 C 3
Aups .... 54 B 1
Auray .... 13 D 3
Aurec-sur-Loire .... 36 B 3
Aurignac .... 50 A 2
Aurillac .... 43 C 3
Auron .... 47 C 2
Auros .... 41 C 2
Auterive .... 50 B 1
Authon-du-Perche .... 16 B 2
Autrans .... 37 D 3
Autrey-lès-Gray .... 30 A 1
Autun .... 29 C 2
Auvillar .... 42 A 3
Auxerre .... 18 B 3
Auxi-le-Château .... 2 B 3
Auxonne .... 30 A 2
Auzances .... 35 D 1
Auzon .... 36 A 3
Availles-Limouzine .... 34 A 1
Avallon .... 29 C 1
Aven Armand .... 44 A 2
Avesnes-le-Comte .... 3 C 3
Avesnes-sur-Helpe .... 8 B 1
Avignon .... 45 C 3
Avioth .... 9 D 2
Avize .... 18 B 1
Avord .... 28 A 2
Avoriaz .... 38 B 1
Avranches .... 4 B 3
Ax-les-Thermes .... 51 C 3
Axat .... 51 C 3
Ay .... 8 B 3
Azay-le-Ferron .... 26 B 2
Azay-le-Rideau .... 26 A 2

B

Baccarat .... 20 B 2
Bacqueville-en-Caux .... 6 B 2
Badonviller .... 21 C 1
Bâgé-le-Châtel .... 37 C 1
Bagnères-de-Bigorre .... 49 D 2
Bagnères-de-Luchon .... 50 A 3
Bagnoles-de-l'Orne .... 15 D 1
Bagnols-les-Bains .... 44 A 2
Bagnols-sur-Cèze .... 45 C 3
Baignes-Ste-Radegonde .... 33 C 3
Baigneux-les-Juifs .... 29 D 1
Bailleul .... 3 C 1
Bain-de-Bretagne .... 14 B 3
Bains-les-Bains .... 20 B 3
Bais .... 15 D 2
Balaruc-les-Bains .... 52 B 2
Balbigny .... 36 B 2
Balleroy .... 5 C 2
Ballon .... 16 A 2
Ballon d'Alsace .... 21 C 3
Bandol .... 54 A 2
Bannalec .... 13 C 3
Banon .... 46 A 3
Banyuls-sur-Mer .... 57 D 3
Bapaume .... 3 C 3
Bar-le-Duc .... 19 D 1
Bar-sur-Aube .... 19 C 2
Le Bar-sur-Loup .... 47 C 3
Bar-sur-Seine .... 19 C 3
Baraqueville .... 43 C 2
Barbazan .... 50 A 2
Barbezieux .... 33 C 3
Barbizon .... 17 D 2
Barbotan-les-Thermes .... 41 C 3
Barcelonnette .... 46 B 2
Barèges .... 49 D 2
Barentin .... 6 B 2
Barenton .... 15 C 1
Barfleur .... 4 B 1
Barfleur *(Pointe de)* .... 4 B 1
Barjac .... 45 C 2
Barjols .... 54 A 1
Barneville-Carteret .... 4 B 2
Barr .... 21 D 2
Barre-des-Cévennes .... 44 A 2
Barrême .... 46 B 3
La Barthe-de-Neste .... 49 D 2
Bas-en-Basset .... 36 B 3
La Bassée .... 3 C 2

A
B
C
D
E
F
G
H
I
J
K
L
M
N
O
P
Q
R
S
T
U
V
W
X
Y
Z

Bassens .... 41 C 1
Bastelica .... 55 D 3
Bastia .... 55 D 1
La Bastide-Clairence .... 48 B 1
La Bastide-de-Sérou .... 50 B 2
Bataille *(Col de la)* .... 45 D 1
La Bâtie-Neuve .... 46 B 2
Batz *(Ile de)* .... 12 B 1
Batz-sur-Mer .... 22 B 3
Baud .... 13 D 3
Baugé .... 25 D 1
Baugy .... 28 A 2
La Baule .... 23 C 3
Baume *(Cirque de)* .... 30 A 3
Baume-les-Dames .... 30 B 1
Les Baux-de-Provence .... 53 C 1
Bavay .... 8 B 1
Bavella *(Col de)* .... 55 D 3
Bayard *(Col)* .... 46 A 1
Bayeux .... 5 C 2
Bayon .... 20 B 2
Bayonne .... 48 A 1
Bazas .... 41 C 2
Bazoches-sur-Hoëne .... 16 A 2
Beaucaire .... 45 C 3
Beaufort *(Jura)* .... 30 A 3
Beaufort *(Savoie)* .... 38 B 2
Beaufort-en-Vallée .... 25 D 1
Beaugency .... 17 C 3
Beaujeu .... 37 C 1
Beaulieu-sur-Dordogne ..... 42 B 1
Beaulieu-sur-Mer .... 47 D 3
Beaumesnil .... 6 A 3
Beaumetz-lès-Loges .... 3 C 3
Beaumont-de-Lomagne ...... 42 A 1
Beaumont-du-Périgord ...... 42 A 1
Beaumont-Hague .... 4 A 1
Beaumont-le-Roger .... 6 A 3
Beaumont-sur-Oise .... 7 D 3
Beaumont-sur-Sarthe .... 15 D 2
Beaune .... 29 D 2
Beaune-la-Rolande .... 17 D 3
Beaupréau .... 25 C 2
Beaurepaire .... 37 D 3
Beaurepaire-en-Bresse ...... 30 A 3
Le Beausset .... 54 A 2
Beauvais .... 7 C 3
Beauvoir-sur-Mer .... 24 A 2
Beauvoir-sur-Niort .... 33 C 1
Le Bec-Hellouin .... 6 A 3
Bécherel .... 14 A 2

Bédarieux .... 52 A 2
Beg-Meil .... 12 B 3
Bégard .... 13 C 1
La Bégude-de-Mazenc .... 45 C 2
Bélâbre .... 26 B 3
Belcaire .... 51 C 3
Belfort .... 21 C 3
Belgodère .... 55 D 2
Belin-Béliet .... 40 B 2
Bellac .... 34 A 1
Belle-Isle-en-Terre .... 13 C 1
Bellegarde *(Gard)* .... 53 C 1
Bellegarde *(Loiret)* .... 17 D 3
Bellegarde-en-Marche .... 35 C 1
Bellegarde-sur-Valserine .... 38 A 1
Bellême .... 16 A 2
Bellencombre .... 6 B 2
Bellerive-sur-Allier .... 36 A 1
Belleville .... 37 C 1
Belley .... 38 A 2
Belmont-de-la-Loire .... 36 B 1
Belmont-sur-Rance .... 43 D 3
Belpech .... 51 C 2
Belvès .... 42 A 1
Belz .... 13 C 3
Bénévent-l'Abbaye .... 34 B 1
Benfeld .... 21 D 2
Bénodet .... 12 B 3
Le Bény-Bocage .... 5 C 3
La Bérarde .... 46 B 1
Berck-Plage .... 2 A 2
Bergerac .... 41 D 1
Bergues .... 3 C 1
Berlaimont .... 8 B 1
Bernaville .... 2 B 3
Bernay .... 6 A 3
Berre-l'Étang .... 53 D 2
Besançon .... 30 B 1
Besse-et-St-Anastaise .... 35 D 3
Besse-sur-Issole .... 54 B 1
Bessèges .... 44 B 2
Bessines-sur-Gartempe ...... 34 B 1
Bétharram *(Grottes de)* ..... 49 C 2
Béthune .... 3 C 2
Betz .... 8 A 3
Beuil .... 47 C 3
Beuvray *(Mont)* .... 29 C 2
Beuzeville .... 6 A 3
Beynac-et-Cazenac .... 42 A 1
Beynat .... 34 B 3
Les Bézards .... 17 D 3

Béziers .... 52 A 2
Biarritz .... 48 A 1
Bidache .... 48 B 1
Bidart .... 48 A 1
Bierné .... 15 C 3
Bierre-lès-Semur .... 29 C 1
Billom .... 36 A 2
Binic .... 13 D 1
Le Biot .... 38 B 1
Biscarrosse .... 40 B 2
Biscarrosse-Plage .... 40 A 2
Bischwiller .... 21 D 1
Bitche .... 11 C 3
Blagnac .... 50 B 1
Blain .... 23 D 3
Blainville-sur-l'Eau .... 20 B 1
Blâmont .... 21 C 1
Le Blanc .... 26 B 3
Blangy-le-Château .... 6 A 3
Blangy-sur-Bresle .... 2 A 3
Blanquefort .... 40 B 1
Blanzac .... 33 D 3
Blanzy .... 29 C 3
Blaye .... 33 C 3
Bléneau .... 28 A 1
Blénod-
lès-Pont-à-Mousson .... 20 A 1
Blérancourt .... 8 A 2
Bléré .... 26 B 1
Blesle .... 36 A 3
Bletterans .... 30 A 3
Le Bleymard .... 44 B 2
Bligny-sur-Ouche .... 29 D 2
Blois .... 27 C 1
Blonville-sur-Mer .... 5 D 2
Bobigny .... 17 D 1
Bocognano .... 55 D 2
Boëge .... 38 B 1
Boën .... 36 B 2
Bohain-en-Vermandois .... 3 D 3
Bois-d'Amont .... 30 B 3
Bolbec .... 6 A 2
Bollène .... 45 C 2
Bologne .... 19 D 2
Bonaguil *(Château de)* ...... 42 A 2
Bonifacio .... 55 D 3
Bonnat .... 35 C 1
Bonnétable .... 16 A 2
Bonneuil-Matours .... 26 A 3
Bonneval *(Eure-et-Loir)* .... 16 B 2
Bonneval *(Savoie)* .... 38 B 2

Bonneville .... 38 B 1
La Bonneville-sur-Iton .... 16 B 1
Bonnières-sur-Seine .... 6 B 3
Bonnieux .... 45 D 3
Boos .... 6 B 3
Bordeaux .... 41 C 1
Bordères-Louron .... 49 D 2
Le Boréon .... 47 C 2
Bormes-les-Mimosas .... 54 B 2
Bort-les-Orgues .... 35 D 3
Bouaye .... 23 D 3
Boucau .... 48 A 1
Bouchain .... 3 D 3
Les Bouchoux .... 38 A 1
Bouilly .... 18 B 2
Boulay-Moselle .... 10 B 3
Boulogne-sur-Gesse .... 50 A 2
Boulogne-sur-Mer .... 2 A 1
Bouloire .... 16 A 3
Le Boulou .... 51 D 3
Bourbon-Lancy .... 28 B 3
Bourbon-l'Archambault .... 28 A 3
Bourbonne-les-Bains .... 20 A 3
La Bourboule .... 35 D 2
Bourbourg .... 2 B 1
Bourbriac .... 13 C 2
Bourdeaux .... 45 D 2
Bourdeilles .... 34 A 3
Bourg .... 41 C 1
Bourg-Achard .... 6 A 3
Bourg-Argental .... 37 C 3
Bourg-de-Péage .... 45 D 1
Bourg-de-Visa .... 42 A 2
Le Bourg-d'Oisans .... 38 A 3
Bourg-en-Bresse .... 37 D 1
Bourg-Lastic .... 35 D 2
Bourg-Madame .... 56 B 3
Bourg-St-Andéol .... 45 C 2
Bourg-St-Maurice .... 38 B 2
Bourganeuf .... 34 B 2
Bourges .... 27 D 2
Le Bourget-du-Lac .... 38 A 2
Bourgneuf-en-Retz .... 24 B 2
Bourgoin-Jallieu .... 37 D 2
Bourgtheroulde-Infreville ...... 6 A 3
Bourgueil .... 26 A 1
Bourmont .... 20 A 2
Le Bousquet-d'Orb .... 52 A 2
Boussac .... 35 C 1
Boussens .... 50 A 2
Bouxwiller .... 21 D 1

Bouzonville .... 10 B 3
Boves .... 7 D 2
Bozel .... 38 B 3
Bozouls .... 43 D 2
Bracieux .... 27 C 1
Braine .... 8 B 3
Brancion .... 29 D 3
Branne .... 41 C 1
Brantôme .... 34 A 3
Brassac .... 51 D 1
Brassac-les-Mines .... 36 A 3
Braus (Col de) .... 47 D 3
Bray-Dunes .... 3 C 1
Bray-sur-Seine .... 18 A 2
Bray-sur-Somme .... 3 C 3
Brécey .... 4 B 3
La Brède .... 41 C 1
Bréhal .... 4 B 3
Bréhat (Ile de) .... 13 D 1
Breil-sur-Roya .... 47 D 3
Brennilis .... 12 B 2
Brénod .... 37 D 1
Bresles .... 7 C 3
La Bresse .... 21 C 3
Bressuire .... 25 D 2
Brest .... 12 B 2
Bretenoux .... 42 B 1
Breteuil .... 7 D 2
Breteuil-sur-Iton .... 16 B 1
Brézolles .... 16 B 1
Briançon .... 46 B 1
Briare .... 28 A 1
Bricquebec .... 4 B 2
Brides-les-Bains .... 38 B 3
Brie-Comte-Robert .... 17 D 1
Briec .... 12 B 2
Brienne-le-Château .... 19 C 2
Brienon-sur-Armançon .... 18 B 3
Briey .... 10 A 3
Brignogan-Plages .... 12 B 1
Brignoles .... 54 B 1
Brinon-sur-Beuvron .... 28 B 2
Brionne .... 6 C 3
Brioude .... 36 A 3
Brioux-sur-Boutonne .... 33 C 1
Briouze .... 5 D 3
Brissac-Quincé .... 25 D 1
Brive-la-Gaillarde .... 34 B 3
Broglie .... 6 A 3
Broons .... 14 A 2
Brossac .... 33 D 3

Brou (Ain) .... 37 D 1
Brou (Eure-et-Loir) .... 16 B 2
Brouage .... 32 B 2
Brouis (Col de) .... 47 D 3
Bruay-la-Buissière .... 3 C 2
Bruay-sur-l'Escaut .... 3 D 2
Brûlon .... 15 D 3
Brumath .... 21 D 1
Bruniquel .... 42 B 3
Bruyères .... 20 B 2
Bubry .... 13 C 3
Buchy .... 6 B 2
Bugeat .... 35 C 2
Le Bugue .... 42 A 1
Buis-les-Baronnies .... 45 D 2
Le Buisson-de-Cadouin ...... 42 A 1
Bulgnéville .... 20 A 2
Bully-les-Mines .... 3 C 2
Burie .... 33 C 2
Bussang .... 21 C 3
Bussière-Badil .... 34 A 2
Buxy .... 29 D 3
Buzançais .... 27 C 2
Buzancy .... 9 D 3

C

Les Cabannes .... 50 B 3
Cabourg .... 5 D 2
Cabre (Col de) .... 46 A 2
Cabrerets .... 42 B 2
Cadarache (Barrage de) ...... 54 A 1
Cadenet .... 53 D 1
Cadillac .... 41 C 1
Cadouin .... 42 A 1
Caen .... 5 D 2
Cagnes-sur-Mer .... 55 C 1
Cahors .... 42 B 2
Cajarc .... 42 B 2
Calacuccia .... 55 D 2
Calais .... 2 B 1
Calenzana .... 55 D 2
Callac .... 13 C 2
Callas .... 54 B 1
Calvi .... 55 D 2
Camarès .... 43 D 3
Camaret-sur-Mer .... 12 A 2
Cambo-les-Bains .... 48 A 1
Cambrai .... 3 D 3
Cambremer .... 5 D 2
Campagne-lès-Hesdin .... 2 B 2
Campan .... 49 D 2

A
B
C
D
E
F
G
H
I
J
K
L
M
N
O
P
Q
R
S
T
U
V
W
X
Y
Z

Cancale .... 14 B 1
Cancon .... 42 A 2
Candé .... 25 C 1
Candes-St-Martin .... 26 A 2
Canet-Plage .... 57 D 2
Canigou *(Pic du)* .... 51 D 3
Canisy .... 4 B 3
Cannes .... 55 C 1
La Canourgue .... 44 A 2
Cany-Barville .... 6 A 2
Le Cap-d'Agde .... 52 A 3
Cap-Ferret .... 40 A 1
Capbreton .... 48 A 1
Capdenac-Gare .... 43 C 2
La Capelle .... 8 B 1
Capendu .... 51 D 2
Capestang .... 52 A 2
Captieux .... 41 C 2
Capvern .... 49 D 2
Caraman .... 51 C 1
Carantec .... 12 B 1
Carbon-Blanc .... 41 C 1
Carbonne .... 50 B 2
Carcans .... 32 B 3
Carcans-Plage .... 32 B 3
Carcassonne .... 51 D 2
Carcès .... 54 B 1
Carentan .... 4 B 2
Cargèse .... 55 D 2
Carhaix-Plouguer .... 13 C 2
Carignan .... 9 D 2
Carling .... 10 B 3
Carmaux .... 43 C 3
Carnac .... 22 B 2
Carnon-Plage .... 52 B 2
Carolles .... 4 B 3
Carpentras .... 45 D 3
Carquefou .... 23 D 3
Carqueiranne .... 54 B 2
Carro .... 53 D 2
Carrouges .... 15 D 1
Carry-le-Rouet .... 53 D 2
Carteret .... 4 B 2
Carvin .... 3 C 2
Cassagnes-Bégonhès .... 43 D 3
Cassel .... 3 C 1
Cassis .... 54 A 2
Castanet-Tolosan .... 50 B 1
Casteljaloux .... 41 D 2
Castellane .... 46 B 3
Castelmoron-sur-Lot .... 41 D 2

Castelnau-de-Médoc .... 40 B 1
Castelnau-de-Montmiral ...... 42 B 3
Castelnau-Magnoac .... 49 D 2
Castelnau-Montratier .... 42 B 2
Castelnau-Rivière-Basse .... 49 D 1
Castelnaudary .... 51 C 1
Castelsarrasin .... 42 A 3
Castets .... 40 B 3
Castillon *(Barrage de)*........ 46 B 3
Castillon-en-Couserans ...... 50 A 2
Castillon-la-Bataille .... 41 C 1
Castillonnès .... 41 D 1
Castres .... 51 C 1
Castries .... 52 B 2
Le Cateau-Cambrésis .... 3 D 3
Le Catelet .... 3 D 3
Cattenom .... 10 B 3
Catus .... 42 B 2
Caudebec-en-Caux .... 6 A 2
Caudry .... 3 D 3
Caulnes .... 14 A 2
Caumont-l'Éventé .... 5 C 2
Caunes-Minervois .... 51 D 1
Caussade .... 42 B 3
Cauterets .... 49 C 2
Cavaillon .... 45 D 3
Cavalaire-sur-Mer .... 54 B 2
La Cavalerie .... 44 A 3
Cavalière .... 54 B 2
Cayeux-sur-Mer .... 2 A 3
Le Caylar .... 44 A 3
Caylus .... 42 B 2
La Cayolle *(Col de)*............ 46 B 2
Cayres .... 44 B 1
Cazals .... 42 A 2
Cazaubon .... 41 C 3
Cazaux .... 40 B 2
Cazères .... 50 A 2
Celles-sur-Belle .... 33 C 1
Cerbère .... 57 D 3
Céret .... 51 D 3
Cergy .... 7 C 3
Cérilly .... 28 A 3
Cerisiers .... 18 B 3
Cerisy-la-Salle .... 4 B 3
Cerizay .... 25 D 2
Cernay .... 21 C 3
Cervione .... 55 D 2
Ceyrat .... 35 D 2
Ceyzériat .... 37 D 1
Chabanais .... 34 A 2

Chabeuil .... 45 D 1
Chablis .... 18 B 3
Chabris .... 27 C 2
Chagny .... 29 D 2
Chailland .... 15 C 2
Chaillé-les-Marais .... 25 C 3
La Chaise-Dieu .... 36 B 3
Chalabre .... 51 C 2
Chalais .... 33 D 3
Chalamont .... 37 D 1
Chalampé .... 21 D 3
Chalindrey .... 20 A 3
Challans .... 24 B 2
Challes-les-Eaux .... 38 A 2
Chalon-sur-Saône .... 29 D 3
Chalonnes-sur-Loire .... 25 C 1
Châlons-en-Champagne ...... 19 C 1
Châlus .... 34 A 2
Chambéry .... 38 A 2
Chambley-Bussières .... 10 A 3
Chambly .... 7 C 3
Chambon *(Barrage du)*........ 38 A 3
Le Chambon-Feugerolles .... 36 B 3
Chambon-sur-Lac .... 35 D 2
Le Chambon-sur-Lignon .... 44 B 1
Chambon-sur-Voueize .... 35 C 1
Chambord .... 27 C 1
La Chambre .... 38 B 3
Chamonix-Mont-Blanc .... 38 B 1
Champagnac-de-Belair ...... 34 A 3
Champagne-Mouton .... 33 D 1
Champagnole .... 30 B 3
Champdeniers-St-Denis ...... 25 D 3
Champeaux .... 14 B 2
Champeix .... 36 A 2
Champlitte-et-le-Prélot .... 30 A 1
Champs-sur-Tarentaine ...... 35 D 3
Champtoceaux .... 23 D 3
Chamrousse .... 38 A 3
Chanac .... 44 A 2
Chanas .... 37 C 3
Chantelle .... 36 A 1
Chantemerle .... 46 B 3
Chantilly .... 7 D 3
Chantonnay .... 25 C 3
Chaource .... 19 C 3
La Chapelle-d'Angillon .... 27 D 1
La Chapelle-de-Guinchay .... 37 C 1
La Chapelle-
en-Valgaudémar .... 46 B 1
La Chapelle-en-Vercors ...... 45 D 1

Charbonnières-les-Bains ..... 37 C 2
Charenton-du-Cher .... 28 A 3
La Charité-sur-Loire .... 28 A 2
Charleville-Mézières .... 9 C 2
Charlieu .... 36 B 1
Charly-sur-Marne .... 18 A 1
Charmes .... 20 B 2
Charny .... 18 A 3
Charny-sur-Meuse .... 9 D 3
Charolles .... 29 C 3
Chârost .... 27 D 2
Charquemont .... 31 C 1
Charroux .... 33 D 1
La Chartre-sur-le-Loir .... 16 A 2
Chartres .... 17 C 2
Chasseneuil-sur-Bonnieure .. 33 D 2
La Châtaigneraie .... 25 C 3
Château-Arnoux-St-Auban .. 46 A 3
Château-Chinon .... 29 C 2
Le Château-d'Oléron .... 32 B 2
Château-du-Loir .... 26 A 1
Château-Gontier .... 15 C 3
Château-la-Vallière .... 26 A 1
Château-Landon .... 17 D 3
Château-Porcien .... 9 C 2
Château-Queyras .... 46 B 1
Château-Regnault .... 9 C 2
Château-Renard .... 18 A 3
Château-Renault .... 26 B 1
Château-Salins .... 20 B 1
Château-Thierry .... 8 A 3
Châteaubourg .... 14 B 2
Châteaubriant .... 14 B 3
Châteaudun .... 16 B 3
Châteaugiron .... 14 B 3
Châteaulin .... 12 B 2
Châteaumeillant .... 27 D 3
Châteauneuf-de-Randon .... 44 A 2
Châteauneuf-
  d'Ille-et-Vilaine .... 14 A 1
Châteauneuf-du-Faou .... 12 B 2
Châteauneuf-du-Pape .... 45 C 3
Châteauneuf-
  en-Thymerais .... 16 B 1
Châteauneuf-la-Forêt .... 34 B 2
Châteauneuf-les-Bains .... 35 D 1
Châteauneuf-sur-Charente .. 33 D 2
Châteauneuf-sur-Cher .... 27 D 2
Châteauneuf-sur-Loire .... 17 D 3
Châteauneuf-sur-Sarthe ..... 25 D 1
Châteauponsac .... 34 B 1

Châteaurenard .... 45 C 3
Châteauroux .... 27 C 3
Châteauvillain .... 19 D 3
Châtel .... 38 B 1
Châtel-Guyon .... 35 D 2
Châtel-Montagne .... 36 A 1
Châtel-sur-Moselle .... 20 B 2
Châtelaillon-Plage .... 32 B 1
Le Châtelard .... 38 A 2
Châtelaudren .... 13 D 1
Châteldon .... 36 A 1
Le Châtelet .... 27 D 3
Le Châtelet-en-Brie .... 18 A 2
Châtellerault .... 26 A 3
Châtelus-Malvaleix .... 35 C 1
Châtenois .... 20 A 2
Châtillon-Coligny .... 18 A 3
Châtillon-en-Bazois .... 28 B 2
Châtillon-en-Diois .... 45 D 1
Châtillon-sur-Chalaronne .... 37 C 1
Châtillon-sur-Indre .... 26 B 2
Châtillon-sur-Loire .... 28 A 1
Châtillon-sur-Marne .... 8 B 3
Châtillon-sur-Seine .... 19 C 3
La Châtre .... 27 D 3
Chaudes-Aigues .... 43 D 1
Chauffailles .... 36 B 1
Chaufour-lès-Bonnières .... 6 B 3
Chaulnes .... 7 D 2
Chaumergy .... 30 A 2
Chaumont .... 19 D 3
Chaumont-en-Vexin .... 7 C 3
Chaumont-sur-Loire .... 26 B 1
Chauny .... 8 A 2
Chausey (Iles) .... 4 B 3
Chaussin .... 30 A 2
Chauvigny .... 26 B 3
Chazelles-sur-Lyon .... 37 C 2
Chef-Boutonne .... 33 D 1
Chemillé .... 25 C 2
Chemin .... 30 A 2
Chénéraïlles .... 35 C 1
Chenonceaux .... 26 B 1
Cherbourg-Octeville .... 4 B 1
Chéroy .... 18 A 2
Le Chesne .... 9 C 2
Chevagnes .... 28 B 3
Chevillon .... 19 D 2
Chèvre (Cap de la) .... 12 A 2
Chevreuse .... 17 C 1
Le Cheylard .... 45 C 1

La Chèze .... 13 D 2
Chinon .... 26 A 2
Chioula (Col de) .... 51 C 3
Cholet .... 25 C 2
Chorges .... 46 B 2
Cians (Gorges du) .... 47 C 3
Cintegabelle .... 50 B 1
La Ciotat .... 54 A 2
Cirey-sur-Vezouze .... 21 C 1
Civray .... 33 D 1
Clairvaux-les-Lacs .... 30 B 3
Clamecy .... 28 B 1
Claye-Souilly .... 17 D 1
La Clayette .... 36 B 1
Clécy .... 5 C 3
Clefmont .... 20 A 3
Cléguérec .... 13 D 2
Celles .... 46 A 1
Clères .... 6 B 2
Clermont .... 7 D 3
Clermont-en-Argonne .... 9 D 3
Clermont-Ferrand .... 35 D 2
Clermont-l'Hérault .... 52 A 2
Clerval .... 31 C 1
Cléry-St-André .... 17 C 3
Clisson .... 25 C 2
Cloyes-sur-le-Loir .... 16 B 3
Cluny .... 29 D 3
La Clusaz .... 38 B 1
Cluses .... 38 B 1
Cognac .... 33 C 2
Cogolin .... 54 B 2
Coligny .... 30 A 3
Collinée .... 13 D 2
Collioure .... 57 D 3
Collobrières .... 54 B 2
Collonges .... 38 A 1
Collonges-la-Rouge .... 42 B 1
Colmar .... 21 C 2
Colmars .... 46 B 2
Cologne .... 50 A 1
Colombey-les-Belles .... 20 A 2
Colombey-
  les-Deux-Églises .... 19 D 3
Colombière (Col de la) .... 38 B 1
Combe Laval .... 45 D 1
Combeaufontaine .... 20 A 3
Combloux .... 38 B 1
Combourg .... 14 B 2
Combronde .... 36 A 1
Comines .... 3 C 1

A B C D E F G H I J K L M N O P Q R S T U V W X Y Z

Commentry .... 35 D 1
Commercy .... 20 A 1
Compiègne .... 7 D 3
Comps-sur-Artuby .... 46 B 3
Concarneau .... 12 B 3
Conches-en-Ouche .... 16 B 1
Condat .... 35 D 3
Condé-en-Brie .... 18 B 1
Condé-sur-l'Escaut .... 3 D 2
Condé-sur-Noireau .... 5 C 3
Condom .... 41 D 3
Condrieu .... 37 C 3
Conflans-en-Jarnisy .... 10 A 3
Confolens .... 34 A 1
Conlie .... 15 D 3
Conliège .... 30 A 3
Connerré .... 16 A 3
Conques .... 43 C 2
Le Conquet .... 12 A 2
Les Contamines-Montjoie .... 38 B 2
Contres .... 27 C 1
Contrexéville .... 20 A 2
Conty .... 7 C 2
Coray .... 12 B 2
Corbeil-Essonnes .... 17 D 1
Corbie .... 3 C 3
Corbigny .... 28 B 2
Corcieux .... 21 C 2
Cordes-sur-Ciel .... 43 C 3
Corlay .... 13 D 2
Cormatin .... 29 C 3
Cormeilles .... 6 A 3
Cormery .... 26 B 2
Cormet de Roselend .... 38 B 2
Cornimont .... 21 C 3
Cornus .... 44 A 3
Corps .... 46 A 1
Corrèze .... 35 C 3
Corte .... 55 D 2
Cosne-d'Allier .... 28 A 3
Cosne-sur-Loire .... 28 A 1
Cossé-le-Vivien .... 15 C 3
La Côte-St-André .... 37 D 3
Cotignac .... 54 B 1
Couches .... 29 D 2
Coucy-le-Château-Auffrique .. 8 A 2
Couhé .... 33 D 1
Couilly-Pont-aux-Dames ...... 18 A 1
Couiza .... 51 C 2
Coulanges-la-Vineuse .... 28 B 1
Coulanges-sur-Yonne .... 28 B 1

Coulommiers .... 18 A 1
Coulon .... 33 C 1
Coulonges-sur-l'Autize .... 25 D 3
Couptrain .... 15 D 2
Cour-Cheverny .... 27 C 1
Courchevel .... 38 B 3
Courçon .... 32 B 1
Cournon-d'Auvergne .... 36 A 2
La Couronne .... 33 D 2
Courpière .... 36 A 2
Cours .... 36 B 1
Coursan .... 52 A 3
Coursegoules .... 47 C 3
Courseulles-sur-Mer .... 5 C 2
Courson-les-Carrières .... 28 B 1
Courtenay .... 18 A 3
Courthézon .... 45 C 3
La Courtine .... 35 C 2
Courtomer .... 16 A 1
Courville-sur-Eure .... 16 B 2
Coussey .... 20 A 2
Coutances .... 4 B 3
Coutras .... 41 C 1
La Couvertoirade .... 44 A 3
Cozes .... 32 B 2
Craon .... 15 C 3
Craonne .... 8 B 3
Craponne-sur-Arzon .... 36 B 3
La Crau .... 54 B 2
Crécy-en-Ponthieu .... 2 B 3
Crécy-la-Chapelle .... 18 A 1
Crécy-sur-Serre .... 8 B 2
Creil .... 7 D 3
Crémieu .... 37 D 2
Créon .... 41 C 1
Crépy-en-Valois .... 7 D 3
Crest .... 45 D 1
Créteil .... 17 D 1
Creully .... 5 C 2
Le Creusot .... 29 C 3
Creutzwald .... 10 B 3
Crèvecœur-le-Grand .... 7 C 2
Criel-sur-Mer .... 2 A 3
Criquetot-l'Esneval .... 6 A 2
Crocq .... 35 C 2
Le Croisic .... 22 B 3
La Croix-de-Fer (Col de) .... 38 B 3
Croix-Haute (Col de la) .... 46 A 1
La Croix-Valmer .... 54 B 2
Le Crotoy .... 2 A 3
Crozant .... 34 B 1

Crozon .... 12 A 2
Cruseilles .... 38 A 1
Crussol (Château de) .... 45 C 1
Cuers .... 54 B 2
Cuiseaux .... 30 A 3
Cuisery .... 29 D 3
Culan .... 27 D 3
Culoz .... 38 A 2
Cunault .... 25 D 1
Cunlhat .... 36 A 2
La Cure .... 30 B 3
Cusset .... 36 A 1
Cysoing .... 3 D 2

D

Dabo .... 21 C 1
Damazan .... 41 D 2
Damelevières .... 20 B 1
Damgan .... 22 B 3
Dammartin-en-Goële .... 7 D 3
Dampierre .... 30 A 2
Dampierre-sur-Salon .... 30 A 1
Damville .... 16 B 1
Damvillers .... 9 D 3
Dangé-St-Romain .... 26 B 2
Dannemarie .... 21 C 3
Daoulas .... 12 B 2
Dargilan (Grotte de) .... 44 A 3
Darney .... 20 A 3
Dax .... 40 B 3
Deauville .... 5 D 2
Decazeville .... 43 C 2
Decize .... 28 B 3
Delle .... 31 C 1
Delme .... 20 B 1
Demoiselles (Grotte des) .... 44 B 3
Denain .... 3 D 2
Der-Chantecoq (Lac du) .... 19 C 1
Derval .... 14 B 3
Descartes .... 26 B 2
Desvres .... 2 B 2
Les Deux-Alpes .... 46 A 1
Die .... 45 D 1
Dieppe .... 2 A 3
Dieulefit .... 45 D 2
Dieulouard .... 20 A 1
Dieuze .... 20 B 1
Digne-les-Bains .... 46 B 3
Digoin .... 29 C 3
Dijon .... 29 D 2
Dinan .... 14 A 2

A
B
C
D
E
F
G
H
I
J
K
L
M
N
O
P
Q
R
S
T
U
V
W
X
Y
Z

Ferney-Voltaire .... 38 A 1
Ferrette .... 31 D 1
Ferrières-en-Gâtinais .... 18 A 3
La Ferté-Alais .... 17 D 2
La Ferté-Bernard .... 16 A 2
La Ferté-Frênel .... 16 A 1
La Ferté-Gaucher .... 18 A 1
La Ferté-Macé .... 15 D 1
La Ferté-Milon .... 8 A 3
La Ferté-sous-Jouarre .... 18 A 1
La Ferté-St-Aubin .... 27 D 1
La Ferté-Vidame .... 16 B 1
Festre (Col du) .... 46 A 1
Feurs .... 36 B 2
Feyzin .... 37 C 2
Figeac .... 43 C 2
Firminy .... 36 B 3
Fismes .... 8 B 3
Flaine .... 38 B 1
La Flèche .... 15 D 3
Fleckenstein (Château de) .... 11 D 3
Flers .... 5 C 3
Fleurance .... 42 A 3
Fleury-en-Bière .... 17 D 2
Fleury-sur-Andelle .... 6 B 3
Flixecourt .... 2 B 3
Flize .... 9 C 2
Flogny-la-Chapelle .... 18 B 3
Florac .... 44 A 2
Florensac .... 52 A 2
Flumet .... 38 B 2
Foix .... 50 B 2
Le Folgoët .... 12 B 1
Font-Romeu-Odeillo-Via .... 51 C 3
Fontaine .... 21 C 3
Fontaine-de-Vaucluse .... 45 D 3
Fontaine-Française .... 30 A 1
Fontaine-le-Dun .... 6 A 2
Fontainebleau .... 17 D 2
Fontenay (Abbaye de) .... 29 C 1
Fontenay-le-Comte .... 25 C 3
Fontenay-Trésigny .... 18 A 1
Fontevraud-l'Abbaye .... 26 A 2
Fontfroide (Abbaye de) .... 51 D 2
Fontgombault .... 26 B 3
Fontoy .... 10 A 3
Fontvieille .... 53 C 1
Forbach .... 11 C 3
Forcalquier .... 46 A 3
Forges-les-Eaux .... 6 B 2
Formerie .... 7 C 2

Fort-Mahon-Plage .... 2 A 2
Fos .... 50 A 2
Fos-sur-Mer .... 53 D 2
Le Fossat .... 50 B 2
Fouesnant .... 12 B 3
Foug .... 20 A 1
Fougères .... 15 C 2
Fougerolles .... 20 B 3
Fouras .... 32 B 1
Fourchambault .... 28 A 2
Fourmies .... 8 B 1
Fournels .... 44 A 1
Fours .... 28 B 3
Le Fousseret .... 50 A 2
Fraize .... 21 C 2
Frangy .... 38 A 1
Fréhel (Cap) .... 14 A 1
Fréjus .... 55 C 1
Fréjus (Tunnel du) .... 38 B 3
Frêne (Col du) .... 38 A 2
Fresnay-sur-Sarthe .... 15 D 2
Fresne-St-Mamès .... 30 B 1
Fresnes-en-Woëvre .... 10 A 3
Frévent .... 2 B 3
Freyming-Merlebach .... 10 B 3
Froissy .... 7 C 2
Fromentine .... 24 A 2
Frontenay-Rohan-Rohan ...... 33 C 1
Frontignan .... 52 B 2
Fronton .... 42 B 3
Frouard .... 20 B 1
Fruges .... 2 B 2
Fumay .... 9 C 1
Fumel .... 42 A 2

G

Gabarret .... 41 C 3
Gacé .... 16 A 1
La Gacilly .... 14 A 3
Gaillac .... 43 C 3
Gaillon .... 6 B 3
Galan .... 49 D 2
Galibier (Col du) .... 38 B 3
Gallardon .... 17 C 2
Gallargues-le-Montueux .... 52 B 2
Gamaches .... 2 A 2
Ganges .... 44 B 3
Gannat .... 36 A 1
Gap .... 46 A 2
Garabit (Viaduc de) .... 44 A 1
Gardanne .... 54 A 1

La Garde-Freinet .... 54 B 1
Gargilesse-Dampierre .... 27 C 3
Garlin .... 49 C 1
Gavarnie .... 49 D 3
Gavray .... 4 B 3
Geaune .... 49 C 1
Gemeaux .... 30 A 1
Gémenos .... 54 A 2
Gémozac .... 33 C 2
Gençay .... 33 D 1
Génissiat (Barrage de) .... 38 A 1
Genlis .... 30 A 2
Gennes .... 25 D 1
Génolhac .... 44 B 2
Gentioux .... 35 C 2
Gérardmer .... 21 C 2
Gerbéviller .... 20 B 2
Gerbier de Jonc (Mont) .... 44 B 1
Les Gets .... 38 B 1
Gevrey-Chambertin .... 29 D 2
Gex .... 38 A 1
Ghisonaccia .... 55 D 3
Ghisoni .... 55 D 2
Giat .... 35 D 2
Gien .... 28 A 1
Giens .... 54 B 2
Gignac .... 52 A 2
Gimont .... 50 A 1
Giromagny .... 21 C 3
Gisors .... 7 C 3
Givet .... 9 C 1
Givors .... 37 C 2
Givry .... 29 D 3
Givry-en-Argonne .... 19 D 1
Glandon (Col du) .... 38 A 3
Glénan (Iles de) .... 12 B 3
Goderville .... 6 A 2
Golfe-Juan .... 55 C 1
Goncelin .... 38 A 3
Gondrecourt-le-Château ...... 20 A 2
Gordes .... 45 D 3
Gorron .... 15 C 2
Gouarec .... 13 C 2
Goumois .... 31 C 1
Gourdon .... 42 B 1
Gourin .... 13 C 2
Gournay-en-Bray .... 7 C 2
Gouzon .... 35 C 1
Graçay .... 27 C 2
Gramat .... 42 B 1
Grancey-le-Château .... 29 D 1

Grand Bois ou de la République
(Col du) .... 37 C 3
Le Grand-Bornand .... 38 B 1
Le Grand-Bourg .... 34 B 1
Grand-Champ .... 13 D 3
Grand Colombier .... 38 A 2
La Grand-Combe .... 44 B 2
Grand-Couronne .... 6 B 3
La Grand-Croix .... 37 C 3
Grand-Fougeray .... 14 B 3
Le Grand-Lemps .... 37 D 3
Le Grand-Lucé .... 16 A 3
Le Grand-Pressigny .... 26 B 2
Le Grand-Serre .... 37 D 3
Grandcamp-Maisy .... 5 C 2
La Grande-Motte .... 52 B 2
Grandpré .... 9 D 3
Grandrieu .... 44 A 1
Grandval (Barrage de) .... 43 D 1
Grandvilliers .... 7 C 2
Granges-sur-Vologne .... 21 C 2
Granier (Col du) .... 38 A 2
Granville .... 4 B 3
Grasse .... 55 C 1
Le Grau-du-Roi .... 52 B 2
Graulhet .... 55 C 1
La Grave .... 38 B 3
Grave (Pointe de) .... 32 B 2
Gravelines .... 2 B 1
Gray .... 30 A 1
Grenade .... 42 B 3
Grenade-sur-l'Adour .... 41 C 3
Grenoble .... 38 A 3
Gréoux-les-Bains .... 46 A 3
Gresse-en-Vercors .... 45 D 1
Grésy-sur-Isère .... 38 B 2
Grez-en-Bouère .... 15 C 3
Grignan .... 45 C 2
Grignols .... 41 C 2
Grimaud .... 54 B 2
Grimone (Col de) .... 46 A 1
Gris-Nez (Cap) .... 2 A 1
Grisolles .... 42 B 3
Groix .... 22 A 2
Grostenquin .... 10 B 3
Grouin (Pointe du) .... 4 B 3
Gruissan .... 52 A 3
Guebwiller .... 21 C 3
Guémené-Penfao .... 23 C 2
Guémené-sur-Scorff .... 13 C 3
Guer .... 14 A 3

Guérande .... 23 C 3
La Guerche-de-Bretagne .... 14 B 3
La Guerche-sur-l'Aubois .... 28 A 2
Guéret .... 35 C 1
Guérigny .... 28 B 2
Guerlédan (Lac de) .... 13 D 2
Guéthary .... 48 A 1
Gueugnon .... 29 C 3
Guichen .... 14 B 3
Guignes .... 18 A 1
Guillaumes .... 47 C 3
Guillestre .... 46 B 1
Guillon .... 29 C 1
Guilvinec .... 12 B 3
Guimiliau .... 12 B 1
Guînes .... 2 B 1
Guingamp .... 13 D 1
Guipavas .... 12 B 2
Guiscard .... 8 A 2
Guise .... 3 D 3
Guîtres .... 41 C 1
Gujan-Mestras .... 40 B 1
Guzet-Neige .... 50 B 3
Gy .... 30 B 1

H

Habsheim .... 21 D 3
Hagetmau .... 49 C 1
Hagondange .... 10 B 3
Haguenau .... 21 D 1
Hallencourt .... 2 B 3
Halluin .... 3 D 1
Ham .... 8 A 2
Hambye (Abbaye de) .... 4 B 3
Hardelot-Plage .... 2 A 2
Haroué .... 20 B 2
Hasparren .... 48 A 1
Haubourdin .... 3 C 2
Haut-Kœnigsbourg
(Château du) .... 21 C 2
Hautecombe (Abbaye de) ...... 38 A 2
Hautefort .... 34 A 3
Hauteville-Lompnes .... 37 D 1
Hautmont .... 8 B 1
Le Havre .... 5 D 2
Hayange .... 10 A 3
La Haye-du-Puits .... 4 B 2
La Haye-Pesnel .... 4 B 3
Hazebrouck .... 3 C 1
Héas .... 49 D 3
Hédé .... 14 B 2

Hendaye .... 48 A 1
Hénin-Beaumont .... 3 C 2
Hennebont .... 13 C 3
Henrichemont .... 27 D 1
Herbault .... 26 B 1
Les Herbiers .... 25 C 2
Herbignac .... 23 C 3
Héricourt .... 31 C 1
Hérisson .... 28 A 3
Hérisson (Cascades du) .... 30 B 3
L'Hermenault .... 25 C 3
Herment .... 35 D 2
Hesdin .... 2 B 2
Hettange-Grande .... 10 A 2
Heuchin .... 2 B 2
Heyrieux .... 37 D 2
Hiersac .... 33 D 2
Hirsingue .... 31 D 1
Hirson .... 8 B 1
Hochfelden .... 21 D 1
Hohneck .... 21 C 3
Le Hohwald .... 21 C 2
Hondschoote .... 3 C 1
Honfleur .... 5 D 2
Hornoy-le-Bourg .... 7 C 2
Hossegor .... 48 A 1
Les Houches .... 38 B 1
Houdain .... 3 C 2
Houdan .... 17 C 1
Houeillès .... 41 D 2
Houlgate .... 5 D 2
Hourtin .... 32 B 3
Hucqueliers .... 2 B 2
Huelgoat .... 13 C 2
Hunspach .... 11 D 3
Huriel .... 35 D 1
Hyères .... 54 B 2

I

If (Château d') .... 53 D 2
L'Île-Bouchard .... 26 A 2
L'Île-Rousse .... 55 D 2
Ille-sur-Têt .... 51 D 3
Illhaeusern .... 21 D 2
Illiers-Combray .... 16 B 2
Imphy .... 28 B 2
Ingrandes .... 25 C 1
Ingwiller .... 21 D 1
Is-sur-Tille .... 29 D 1
Iseran (Col de l') .... 39 C 3
L'Isle-Adam .... 7 C 3

A B C D E F G H I J K L M N O P Q R S T U V W X Y Z

A

L'Isle-d'Abeau .... 37 D 2
L'Isle-de-Noé .... 49 D 1
L'Isle-en-Dodon .... 50 A 1
L'Isle-Jourdain (Gers) .... 50 A 1
L'Isle-Jourdain (Vienne) ...... 34 A 1
L'Isle-sur-la-Sorgue .... 45 D 3
L'Isle-sur-le-Doubs .... 31 C 1
L'Isle-sur-Serein .... 29 C 1
Isola 2000 .... 47 C 2
Les Issambres .... 55 C 1
Issigeac .... 41 D 1
Issoire .... 36 A 2
Issoudun .... 27 D 2
Issy-l'Évêque .... 29 C 3
Istres .... 53 D 2
Ivry-la-Bataille .... 17 C 1
Izernore .... 37 D 1
Izoard (Col d') .... 46 B 1

J

Jaligny-sur-Besbre .... 36 A 1
Janville .... 17 C 2
Janzé .... 14 B 3
Jard-sur-Mer .... 24 B 3
Jargeau .... 17 D 3
Jarnac .... 33 C 2
Jarnages .... 35 C 1
Jarny .... 10 A 3
Jau (Col de) .... 51 C 3
Jaunay-Clan .... 26 A 3
Jausiers .... 46 B 2
La Javie .... 46 B 2
Javron .... 15 D 2
Jegun .... 41 D 3
Jeumont .... 8 B 1
Jobourg (Nez de) .... 4 B 1
Joigny .... 18 A 3
Joinville .... 19 D 2
Jonzac .... 33 C 3
Josselin .... 13 D 3
Jouarre .... 18 A 1
Joué-lès-Tours .... 26 B 1
Jougne .... 31 C 3
Joyeuse .... 44 B 2
Juan-les-Pins .... 55 C 1
Jugon-les-Lacs .... 14 A 2
Juillac .... 34 B 3
Jullouville .... 4 B 3
Jumeaux .... 36 A 3
Jumièges .... 6 A 3
Jumilhac-le-Grand .... 34 A 3

Juniville .... 9 C 3
Jussey .... 20 A 3
Juvigny-le-Tertre .... 15 C 1
Juvigny-sous-Andaine .... 15 D 1
Juzennecourt .... 19 D 2

K

Kaysersberg .... 21 C 2
Kembs .... 21 D 3
Kernascléden .... 13 C 3

L

Labastide-Murat .... 42 B 1
Labastide-Rouairoux .... 51 D 1
Labouheyre .... 40 B 2
Labouret (Col du) .... 46 B 2
Labrit .... 41 C 3
Labruguière .... 51 C 1
Lacanau .... 40 B 1
Lacanau-Océan .... 40 B 1
Lacapelle-Marival .... 43 C 1
Lacaune .... 51 D 1
Lacq .... 49 C 1
Laferté-sur-Amance .... 20 A 3
Laffrey .... 46 A 1
Lafrançaise .... 42 A 3
Lagnieu .... 37 D 2
Lagny-sur-Marne .... 17 D 1
Lagrasse .... 51 D 2
Laguépie .... 43 C 3
Laguiole .... 43 D 1
Laignes .... 19 C 3
Laissac .... 43 D 2
Lalbenque .... 42 B 2
Lalinde .... 42 A 1
Lalouvesc .... 37 C 3
Lamalou-les-Bains .... 52 A 2
Lamarche .... 20 A 3
Lamarque .... 32 B 3
Lamastre .... 45 C 1
Lamballe .... 13 D 2
Lambesc .... 53 D 2
Lamotte-Beuvron .... 27 D 1
Lampaul .... 12 A 1
Lamure-sur-Azergues .... 37 C 1
Landerneau .... 12 B 2
Landévennec .... 12 B 2
Landivisiau .... 12 B 1
Landivy .... 15 C 2
Landrecies .... 3 D 3
Langeac .... 36 A 3

Langeais .... 26 A 1
Langogne .... 44 B 1
Langon .... 41 C 2
Langres .... 19 D 3
Langrune-sur-Mer .... 5 D 2
Lanmeur .... 13 C 1
Lannemezan .... 49 D 2
Lannilis .... 12 A 1
Lannion .... 13 C 1
Lans-en-Vercors .... 34 A 3
Lanslebourg-Mont-Cenis .... 39 C 3
Lanta .... 50 B 1
Lantosque .... 47 C 3
Lanvollon .... 13 D 1
Laon .... 8 B 2
Lapalisse .... 36 A 1
Lapleau .... 35 C 3
Laplume .... 41 D 3
Lapoutroie .... 21 C 2
Laragne-Montéglin .... 46 A 2
Larche
  (Alpes-de-Hte-Provence) .. 47 C 2
Larche (Col de) .... 47 C 2
Larche (Corrèze) .... 34 B 3
Largentière .... 44 B 2
Larmor-Plage .... 13 C 3
Laroque-d'Olmes .... 51 C 2
Laroque-Timbaut .... 42 A 2
Laroquebrou .... 43 C 1
Laruns .... 49 C 2
Lasalle .... 44 B 3
Lascaux (Grotte de) .... 42 A 1
Lassay-les-Châteaux .... 15 D 2
Lassigny .... 7 D 2
Latour-de-France .... 51 D 3
Latronquière .... 43 C 1
Laurière .... 34 B 1
Lautaret (Col du) .... 38 B 3
Lauterbourg .... 11 D 3
Lautrec .... 51 C 1
Lauzerte .... 42 A 2
Le Lauzet-Ubaye .... 46 B 2
Lauzun .... 41 D 2
Laval .... 15 C 3
Le Lavandou .... 54 B 2
Lavardac .... 41 D 3
Lavaur .... 51 C 1
Lavelanet .... 51 C 2
Lavéra .... 53 D 2
Lavit-de-Lomagne .... 42 A 3

A
B
C
D
E
F
G
H
I
J
K
L
M
N
O
P
Q
R
S
T
U
V
W
X
Y
Z

Lavoûte-Chilhac	36 A 3
La Léchère	38 B 2
Les Lecques	54 A 2
Lectoure	41 D 3
Lédignan	44 B 3
Legé	24 B 2
Léguevin	50 B 1
Lembach	11 D 3
Lembeye	49 C 1
Lempdes-sur-Allagnon	36 A 3
Lencloître	26 A 3
Lens	3 C 2
Léon	40 A 3
Léoncel	45 D 1
Léré	28 A 1
Lescar	49 C 1
Lescun	49 C 2
Lesneven	12 B 1
Lesparre-Médoc	32 B 3
Lessay	4 B 2
Lestelle-Bétharram	49 C 2
Levant (Ile du)	54 B 2
Levens	47 C 3
Levet	27 D 2
Levie	55 D 3
Levier	30 B 2
Levroux	27 C 2
Lézardrieux	13 D 1
Lézat-sur-Lèze	50 B 1
Lezay	33 D 1
Lézignan-Corbières	51 D 2
Lezoux	36 A 2
Libourne	41 C 1
Liernais	29 C 2
Lieurey	6 A 3
Liévin	3 C 2
Liffol-le-Grand	20 A 2
Liffré	14 B 2
Lignières	27 D 3
Ligny-en-Barrois	19 D 1
Ligny-le-Châtel	18 B 3
Ligueil	26 B 2
Lille	3 C 2
Lillebonne	6 A 2
Lillers	3 C 2
Limoges	34 B 2
Limogne-en-Quercy	42 B 2
Limonest	37 C 2
Limours-en-Hurepoix	17 C 1
Limoux	51 C 2
Le Lion-d'Angers	25 D 1
Lion-sur-Mer	5 D 2
Le Lioran	35 D 3
Lisieux	5
D 2 L'Isle-sur-Tarn	42 B 3
Lison (Source du)	30 B 2
Lit-et-Mixe	40 A 3
Livarot	5 D 3
Liverdun	20 A 1
Livernon	42 B 2
Livron-sur-Drôme	45 C 1
Lizy-sur-Ourcq	18 A 1
Loches	26 B 2
Locmariaquer	22 B 2
Locminé	13 D 2
Locquirec	13 C 1
Locronan	12 B 2
Loctudy	12 B 3
Lodève	52 A 2
Loiron	15 C 3
Lombez	50 A 1
Londinières	6 B 2
Longeau	19 D 3
Longny-au-Perche	16 A 2
Longué	25 D 1
Longueville-sur-Scie	6 B 2
Longuyon	10 A 2
Longwy	10 A 2
Lons-le-Saunier	30 A 3
Lorgues	54 B 1
Lorient	13 C 3
Loriol-sur-Drôme	45 C 1
Lormes	28 B 1
Le Loroux-Bottereau	23 D 3
Lorquin	21 C 1
Lorrez-le-Bocage	18 A 2
Lorris	17 D 3
Loudéac	13 D 2
Loudes	36 B 3
Loudun	26 A 2
Loué	15 D 3
La Loue (Source de)	30 B 2
Louhans	30 A 3
Loulay	33 C 1
La Loupe	16 B 2
Lourdes	49 D 2
Le Louroux-Béconnais	25 C 1
Louviers	6 B 3
Louvigné-du-Désert	15 C 2
Lozère (Mont)	44 B 2
Lubersac	34 B 3
Le Luc	54 B 1
Luc-en-Diois	45 D 1
Luc-sur-Mer	5 D 2
Lucenay-l'Évêque	29 C 2
Luçon	25 C 3
Le Lude	26 A 1
Luère (Col de la)	37 C 2
Lumbres	2 B 2
Lunas	52 A 2
Lunel	52 B 2
Lunéville	20 B 1
Lurbe-St-Christau	49 C 2
Lurcy-Lévis	28 A 3
Lure	20 B 3
Luri	55 D 1
Lury-sur-Arnon	27 D 2
Lusignan	26 A 3
Lusigny-sur-Barse	19 C 2
Lussac	41 C 1
Lussac-les-Châteaux	26 B 3
Lussan	45 C 3
Lutzelbourg	21 C 1
Luxeuil-les-Bains	20 B 3
Luynes	26 A 1
Luz-St-Sauveur	49 D 2
Luzarches	7 D 3
Luzech	42 B 2
Luzy	29 C 3
Lyon	37 C 2
Lyons-la-Forêt	6 B 3

M

Machault	9 C 3
Machecoul	24 B 2
La Machine	28 B 2
Mâcon	37 C 1
Madeleine (Col de la)	38 B 3
Maël-Carhaix	13 C 2
Magnac-Laval	34 A 1
Magny-en-Vexin	7 C 3
Maîche	31 C 3
Maignelay-Montigny	7 D 2
Maillezais	25 C 3
Mailly-le-Camp	19 C 1
Maintenon	17 C 1
Maison-Neuve	19 C 2
Maizières-lès-Metz	10 A 3
Malaucène	45 D 3
Malbuisson	30 B 2
La Malène	44 A 2
Malesherbes	17 D 2
Malestroit	14 A 3

A
B
C
D
E
F
G
H
I
J
K
L
M
N
O
P
Q
R
S
T
U
V
W
X
Y
Z

A
B
C
D
E
F
G
H
I
J
K
L
M
N
O
P
Q
R
S
T
U
V
W
X
Y
Z

Malicorne-sur-Sarthe .... 15 D 3
Malo-les-Bains .... 3 C 1
Le Malzieu-Ville .... 44 A 1
Mamers .... 16 A 2
Mandelieu-la-Napoule .... 55 C 1
Manosque .... 46 A 3
Le Mans .... 16 A 3
Mansle .... 33 D 2
Mantes-la-Jolie .... 17 C 1
Manzat .... 35 D 2
Marans .... 32 B 1
Marchaux .... 30 B 1
Marchenoir .... 16 B 3
Marchiennes .... 3 D 2
Marciac .... 49 D 1
Marcigny .... 36 B 1
Marcillac-Vallon .... 43 C 2
Marcillat-en-Combraille .... 35 D 1
Marcilly-le-Hayer .... 18 B 2
Marckolsheim .... 21 D 2
Marcoule .... 45 C 3
Marennes .... 32 B 2
Mareuil .... 33 D 3
Mareuil-sur-Lay .... 25 C 3
Marguerittes .... 45 C 3
Marignane .... 53 D 2
Marigny .... 4 B 2
Marigny-le-Châtel .... 18 B 2
Marines .... 7 C 3
Maringues .... 36 A 2
Le Markstein .... 21 C 3
Marle .... 8 B 2
Marmande .... 41 D 2
Marmoutier .... 21 C 1
Marnay .... 30 B 1
Marolles-les-Braults .... 16 A 2
Marquion .... 3 D 3
Marquise .... 2 B 1
Mars-la-Tour .... 10 A 3
Marseillan .... 52 A 2
Marseille .... 53 D 2
Marseille-en-Beauvaisis .... 7 c 2
Martel .... 42 B 1
Marthon .... 33 D 2
Martigné-Ferchaud .... 14 B 3
Martigny-les-Bains .... 20 A 2
Martigues .... 53 D 2
Marvejols .... 44 A 2
Mas-Cabardès .... 51 D 1
Le Mas-d'Agenais .... 41 D 2
Le Mas-d'Azil .... 50 B 2

Masevaux .... 21 C 3
Massat .... 50 B 2
Le Massegros .... 44 A 2
Masseube .... 50 A 1
Massiac .... 36 A 3
Les Matelles .... 52 B 1
Matha .... 33 C 2
Matignon .... 14 A 1
Matour .... 37 C 1
Maubeuge .... 8 B 1
Maubourguet .... 49 D 1
Maubuisson .... 32 B 3
Mauguio .... 52 B 2
Mauléon .... 25 C 2
Mauléon-Barousse .... 50 A 2
Mauléon-Licharre .... 48 B 2
Maure (Col de) .... 46 B 2
Maure-de-Bretagne .... 14 A 3
Mauriac .... 35 C 3
Mauron .... 14 A 2
Maurs .... 43 C 1
Mauvezin .... 50 A 1
Mauzé-sur-le-Mignon .... 33 C 1
Mayenne .... 15 C 2
Mayet .... 16 A 3
Le Mayet-de-Montagne .... 36 A 1
Mazagran .... 9 D 3
Mazamet .... 51 D 1
Mazères .... 50 B 2
Mazières-en-Gâtine .... 25 D 3
Meaux .... 18 A 1
Médous (Grotte de) .... 49 D 2
Les Mées .... 46 A 3
Megève .... 38 B 2
Mehun-sur-Yèvre .... 27 D 2
Meillant .... 27 D 3
Le Mêle-sur-Sarthe .... 16 A 2
Mélisey .... 20 B 3
Melle .... 33 C 1
Melun .... 17 D 2
Menat .... 35 D 1
Mende .... 44 A 2
Menée (Col de) .... 46 A 1
Ménez-Hom .... 12 B 2
Ménigoute .... 25 D 3
Mennetou-sur-Cher .... 27 C 2
Mens .... 46 A 1
Menthon-St-Bernard .... 38 A 2
Menton .... 47 D 3
Les Menuires .... 38 B 3
Mer .... 27 C 1

Mercœur .... 43 C 1
Merdrignac .... 14 A 2
Méréville .... 17 C 2
Méribel .... 38 B 3
Mérignac .... 40 B 1
Le Merlerault .... 16 A 1
Mers-les-Bains .... 2 A 3
Méru .... 7 C 3
Merville .... 3 C 2
Merville-Franceville-Plage ..... 5 D 2
Méry-sur-Seine .... 18 B 2
Meschers-sur-Gironde .... 32 B 2
Meslay-du-Maine .... 15 C 3
Messei .... 5 C 3
Mesvres .... 29 C 2
Metz .... 10 B 3
Metzervisse .... 10 B 3
Meulan .... 7 C 3
Meung-sur-Loire .... 17 C 3
Meursault .... 29 D 2
Meximieux .... 37 D 2
Meymac .... 35 C 2
Meyrand (Col de) .... 44 B 2
Meyrueis .... 44 A 3
Meyzieu .... 37 D 2
Mèze .... 52 B 2
Mézel .... 46 B 3
Mézenc (Mont) .... 44 B 1
Mézidon-Canon .... 5 D 3
Mézières-en-Brenne .... 26 B 3
Mézières-sur-Issoire .... 34 A 1
Mézin .... 41 D 3
Midi de Bigorre (Pic du) .... 49 D 2
Miélan .... 49 D 1
Migennes .... 18 B 3
Mijoux .... 30 B 3
Millas .... 51 D 3
Millau .... 43 D 3
Milly-la-Forêt .... 17 D 2
Mimizan .... 40 A 2
Mimizan-Plage .... 40 A 2
Mindin .... 23 C 3
Mionnay .... 37 C 2
Miramar .... 55 C 1
Miramas .... 53 D 2
Mirambeau .... 33 C 3
Miramont-de-Guyenne .... 41 D 2
Mirande .... 49 D 1
Mirebeau .... 26 A 3
Mirebeau-sur-Bèze .... 30 A 1
Mirecourt .... 20 B 2

Mirepoix .... **51 C 2**
Miribel .... **37 C 2**
Modane .... **38 B 3**
Moëlan-sur-Mer .... **13 C 3**
Moirans .... **37 D 3**
Moirans-en-Montagne .... **30 B 3**
Moisdon-la-Rivière .... **23 D 2**
Moissac .... **42 A 3**
Molène *(Ile)* .... **12 A 2**
Molières .... **42 B 3**
Molitg-les-Bains .... **51 D 3**
Molliens-Dreuil .... **7 C 2**
Molsheim .... **21 D 1**
Mon Idée .... **9 C 2**
Le Monastier-sur-Gazeille ... **44 B 1**
Monbazillac .... **41 D 1**
Monclar-de-Quercy .... **42 B 3**
Moncontour
   (Côtes-d'Armor) .... **13 D 2**
Moncontour *(Vienne)* .... **26 A 2**
Moncoutant .... **25 D 3**
Mondoubleau .... **16 B 3**
Mondragon .... **45 C 2**
Monein .... **49 C 1**
Monestier-de-Clermont ...... **46 A 1**
Monestiés .... **43 C 3**
Le Monêtier-les-Bains .... **46 B 1**
Monflanquin .... **42 A 2**
Monistrol-d'Allier .... **44 A 1**
Monistrol-sur-Loire .... **36 B 3**
Monpazier .... **42 A 1**
Monségur .... **41 D 1**
Monsols .... **37 C 1**
Mont Blanc *(Tunnel du)* ..... **38 B 1**
Mont-Cenis *(Col du)* .... **39 C 3**
Mont-de-Marsan .... **41 C 3**
Le Mont-Dore .... **35 D 2**
Mont-Louis .... **51 C 3**
Mont-sous-Vaudrey .... **30 A 2**
Le Mont-St-Michel .... **14 B 1**
Mont-St-Vincent .... **29 D 3**
Montagnac .... **52 A 2**
Montagrier .... **33 D 3**
Montaigu .... **25 C 2**
Montaigu-de-Quercy .... **42 A 2**
Montaigut .... **35 D 1**
Montalieu-Vercieu .... **37 D 2**
Montalivet-les-Bains .... **32 B 3**
Montargis .... **17 D 3**
Montastruc-la-Conseillère ... **50 B 1**
Montauban .... **42 B 3**

Montauban-de-Bretagne ...... **14 A 2**
Montbard .... **29 C 1**
Montbazens .... **43 C 2**
Montbazon .... **26 B 1**
Montbéliard .... **31 C 1**
Montbenoît .... **31 C 2**
Montbozon .... **30 B 1**
Montbrison .... **36 B 2**
Montbron .... **33 D 2**
Montceau-les-Mines .... **29 C 3**
Montcenis .... **29 C 3**
Montchanin .... **29 D 3**
Montcornet .... **8 B 2**
Montcuq .... **42 A 2**
Montdidier .... **7 D 2**
Montebourg .... **4 B 2**
Montech .... **42 A 3**
Montélimar .... **45 C 2**
Montendre .... **33 C 3**
Montereau-Fault-Yonne ..... **18 A 2**
Montesquieu-Volvestre ...... **50 B 2**
Montesquiou .... **49 D 1**
Le Montet .... **28 A 3**
Montets *(Col des)* .... **39 C 1**
Montfaucon-d'Argonne ...... **9 D 3**
Montfaucon-en-Velay .... **36 B 3**
Montfaucon-Montigné .... **25 C 2**
Montfort-en-Chalosse .... **48 B 1**
Montfort-l'Amaury .... **17 C 1**
Montfort-sur-Meu .... **14 A 2**
Montfort-sur-Risle .... **6 A 3**
Montgaillard .... **50 B 2**
Montgenèvre .... **46 B 1**
Montgiscard .... **50 B 1**
Montguyon .... **33 C 3**
Monthermé .... **9 C 1**
Monthois .... **9 C 3**
Monthureux-sur-Saône ...... **20 A 3**
Montier-en-Der .... **19 D 2**
Montignac .... **42 A 1**
Montigny-le-Roi .... **20 A 3**
Montigny-sur-Aube .... **19 D 3**
Montivilliers .... **5 D 2**
Montjean-sur-Loire .... **25 C 1**
Monthéry .... **17 D 1**
Montlieu-la-Garde .... **33 C 3**
Montlouis-sur-Loire .... **26 B 1**
Montluçon .... **35 D 1**
Montluel .... **37 D 2**
Montmarault .... **35 D 1**
Montmartin-sur-Mer .... **4 B 3**

Montmédy .... **9 D 2**
Montmélian .... **38 A 2**
Montmirail *(Marne)* .... **18 B 1**
Montmirail *(Sarthe)* .... **16 B 3**
Montmirey-le-Château .... **30 A 2**
Montmoreau-St-Cybard ..... **33 D 3**
Montmorillon .... **26 B 3**
Montmort .... **18 B 1**
Montoire-sur-le-Loir .... **16 B 3**
Montpellier .... **52 B 2**
Montpellier-le-Vieux
   (Chaos de) .... **44 A 3**
Montpezat-de-Quercy .... **42 B 2**
Montpezat-sous-Bauzon ..... **44 B 1**
Montpon-Ménestérol .... **41 D 1**
Montpont-en-Bresse .... **30 A 3**
Montréal *(Aude)* .... **51 C 2**
Montréal *(Gers)* .... **41 D 3**
Montréal-la-Cluse .... **37 D 1**
Montredon-Labessonnié ..... **51 D 1**
Montréjeau .... **50 A 2**
Montrésor .... **26 B 2**
Montret .... **30 A 3**
Montreuil .... **2 B 2**
Montreuil-Bellay .... **25 D 2**
Montrevault .... **25 C 1**
Montrevel-en-Bresse .... **37 D 1**
Montrichard .... **26 B 1**
Montrond-les-Bains .... **36 B 2**
Monts-sur-Guesnes .... **26 A 2**
Montsalvy .... **43 D 1**
Montsauche-les-Settons ..... **29 C 2**
Montsûrs .... **15 C 2**
Morcenx .... **40 B 3**
Mordelles .... **14 A 3**
Morée .... **16 B 3**
Morestel .... **37 D 2**
Moret-sur-Loing .... **18 A 2**
Moreuil .... **7 D 2**
Morez .... **30 B 3**
Morgat .... **12 A 2**
Morhange .... **20 B 1**
Morlaàs .... **49 C 1**
Morlaix .... **13 C 1**
Mormant .... **18 A 1**
Mormoiron .... **45 D 3**
Mornant .... **37 C 2**
Morosaglia .... **55 D 2**
Mortagne-au-Perche .... **16 A 2**
Mortagne-sur-Gironde .... **32 B 3**
Mortagne-sur-Sèvre .... **25 C 2**

A
B
C
D
E
F
G
H
I
J
K
L
M
N
O
P
Q
R
S
T
U
V
W
X
Y
Z

A
B
C
D
E
F
G
H
I
J
K
L
M
N
O
P
Q
R
S
T
U
V
W
X
Y
Z

Mortain .... 5 C 3
Morteau .... 31 C 2
Mortrée .... 15 D 1
Morzine .... 38 B 1
La Mothe-Achard .... 24 B 3
La Mothe-St-Héray .... 33 C 1
La Motte-Chalancon .... 45 D 2
La Motte-du-Caire .... 46 A 2
Mouchard .... 30 B 2
Mougins .... 55 C 1
Mouilleron-en-Pareds .... 25 C 3
Moulins .... 28 B 3
Moulins-Engilbert .... 28 B 2
Moulins-la-Marche .... 16 A 1
Moult .... 5 D 2
Mourenx .... 49 C 1
Mourmelon-le-Grand .... 9 C 3
Moustiers-Ste-Marie .... 46 B 3
Mouthe .... 30 B 3
Mouthier-Haute-Pierre .... 30 B 3
Mouthoumet .... 51 D 2
Moûtiers .... 38 B 2
Moutiers-les-Mauxfaits ...... 24 B 3
Mouy .... 7 D 3
Mouzon .... 9 D 2
Moyenneville .... 2 B 3
Mugron .... 40 B 3
Mulhouse .... 21 C 3
Munster .... 21 C 3
Mur-de-Barrez .... 43 D 1
Mur-de-Bretagne .... 13 D 2
Murat .... 35 D 3
Murat-sur-Vèbre .... 51 D 1
Murato .... 55 D 2
La Mure .... 46 A 1
Muret .... 50 B 1
Muro .... 55 D 2
Murol .... 35 D 2
Murviel-lès-Béziers .... 52 A 2
Mussidan .... 41 D 1
Mussy-sur-Seine .... 19 C 3
Le Muy .... 54 B 1
Muzillac .... 22 B 2

N

Nailloux .... 50 B 1
Najac .... 43 C 3
Nancy .... 20 B 1
Nangis .... 18 A 2
Nant .... 44 A 3
Nanterre .... 17 D 1

Nantes .... 23 D 3
Nanteuil-le-Haudouin .... 7 D 3
Nantiat .... 34 A 1
Nantua .... 37 D 1
La Napoule .... 55 C 1
Narbonne .... 52 A 3
Narbonne-Plage .... 52 A 3
Nasbinals .... 43 D 1
Naucelle .... 43 C 3
Naussac (Barrage de) .... 44 B 1
Navacelles (Cirque de) .... 44 A 3
Navarrenx .... 48 B 1
Nay .... 49 C 2
Négrepelisse .... 42 B 3
Nemours .... 17 D 2
Nérac .... 41 D 3
Néris-les-Bains .... 35 D 1
Néronde .... 36 B 2
Nérondes .... 28 A 2
Nesle .... 7 D 2
Le Neubourg .... 6 A 3
Neuf-Brisach .... 21 D 3
Neufchâteau .... 20 A 2
Neufchâtel-en-Bray .... 6 B 2
Neufchâtel-sur-Aisne .... 8 B 3
Neuillé-Pont-Pierre .... 26 A 1
Neuilly-en-Thelle .... 7 D 3
Neuilly-le-Réal .... 28 B 3
Neuilly-l'Évêque .... 20 A 3
Neuilly-St-Front .... 8 A 3
Neung-sur-Beuvron .... 27 C 1
La Neuve-Lyre .... 16 A 1
Neuves-Maisons .... 20 B 1
Neuvic (Corrèze) .... 35 C 3
Neuvic (Dordogne) .... 33 D 3
Neuville-aux-Bois .... 17 C 3
Neuville-de-Poitou .... 26 A 3
Neuville-sur-Saône .... 37 C 2
Neuvy-le-Roi .... 26 B 1
Neuvy-St-Sépulchre .... 27 C 3
Neuvy-sur-Barangeon .... 27 D 1
Névache .... 38 B 3
Nevers .... 28 A 2
Nexon .... 34 A 2
Niaux (Grotte de) .... 50 B 3
Nice .... 47 C 3
Niederbronn-les-Bains .... 11 D 3
Nieul .... 34 A 2
Nîmes .... 45 C 3
Niort .... 33 C 1
Nitry .... 29 C 1

Noailles .... 7 C 3
Nœux-les-Mines .... 3 C 2
Nogaro .... 41 C 3
Nogent .... 19 D 3
Nogent-le-Roi .... 17 C 1
Nogent-le-Rotrou .... 16 B 2
Nogent-sur-Seine .... 18 B 2
Noirétable .... 36 B 2
Noirmoutier-en-l'Ile .... 24 A 2
Nolay .... 29 D 2
Nomeny .... 20 B 1
Nomexy .... 20 B 2
Nonancourt .... 16 B 1
Nonant-le-Pin .... 16 A 1
Nontron .... 34 A 2
Nonza .... 55 D 1
Norrent-Fontes .... 3 C 2
Nort-sur-Erdre .... 23 D 3
Notre-Dame-
de-Bellecombe .... 38 B 2
Nouan-le-Fuzelier .... 27 D 1
Nouvion-en-Ponthieu .... 2 B 3
Le Nouvion-en-Thiérache ... 8 B 1
Nouzonville .... 9 C 2
Noves .... 45 C 3
Novion-Porcien .... 9 C 2
Noyant .... 26 A 1
Noyers .... 29 C 1
Noyers-sur-Jabron .... 46 A 2
Noyon .... 8 A 2
Nozay .... 23 D 3
Nuits-St-Georges .... 29 D 2
Nyons .... 45 D 2

O

Oberhaslach .... 21 C 1
Obernai .... 21 D 2
Objat .... 34 B 3
Offranville .... 6 B 3
Oisemont .... 2 B 3
Olargues .... 51 D 1
Oléron (Ile d') .... 32 B 2
Oletta .... 55 D 2
Olette .... 51 C 3
Olivet .... 17 C 3
Les Ollières-sur-Eyrieux ..... 45 C 1
Olliergues .... 36 A 2
Ollioules .... 54 A 2
Olmeto .... 55 D 3
Olonzac .... 51 D 2
Oloron-Ste-Marie .... 49 C 2

Onesse-et-Laharie .... 40 B 3
Onzain .... 26 B 1
Oradour-sur-Glane .... 34 A 2
Oradour-sur-Vayres .... 34 A 2
Oraison .... 46 A 3
Orange .... 45 C 3
Orbec .... 6 A 1
Orbey .... 21 C 2
Orchies .... 3 D 2
Orcières .... 46 B 1
Orcival .... 35 D 2
Orgelet .... 30 A 3
Orgères-en-Beauce .... 17 C 3
Orgnac (Aven d') .... 45 C 2
Orgon .... 45 D 3
Origny-Ste-Benoîte .... 8 A 2
Orléans .... 17 C 3
Orly .... 17 D 1
Ornans .... 30 B 2
Orpierre .... 46 A 2
Orsay .... 17 D 1
Orthez .... 48 B 1
Ossun .... 49 D 2
Ottmarsheim .... 21 D 3
Oucques .... 16 B 3
Ouistreham .... 5 D 2
Oulchy-le-Château .... 8 A 3
Ourville-en-Caux .... 6 A 2
Oust .... 50 B 3
Ouzouer-le-Marché .... 17 C 3
Ouzouer-sur-Loire .... 17 D 3
Oxocelhaya et Isturits
  (Grottes d') .... 48 B 1
Oyonnax .... 38 A 1

P

La Pacaudière .... 36 B 1
Pacy-sur-Eure .... 6 B 3
Padirac (Gouffre de) .... 42 B 1
Pagny-sur-Moselle .... 10 A 3
Paimbœuf .... 23 C 3
Paimpol .... 13 D 1
Paladru .... 37 D 3
Le Palais .... 22 A 3
Palaiseau .... 17 D 1
Palavas-les-Flots .... 52 B 2
Palinges .... 29 C 3
La Pallice .... 32 B 1
Palluau .... 24 B 2
Pamiers .... 50 B 2
Paramé .... 14 A 1

Paray-le-Monial .... 29 C 3
Parentis-en-Born .... 40 B 2
Paris .... 17 D 1
Parthenay .... 25 D 3
Pas-en-Artois .... 3 C 3
Passais .... 15 C 2
Patay .... 17 C 3
Pau .... 49 C 1
Pauillac .... 32 B 3
Paulhaguet .... 36 A 3
Pavilly .... 6 B 2
Payrac .... 42 B 1
Le Péage-de-Roussillon ..... 37 C 3
Pech Merle (Grotte du) ...... 42 B 2
Peïra-Cava .... 47 D 3
Pellegrue .... 41 D 1
Le Pellerin .... 23 D 3
Pélussin .... 37 C 3
Pénestin .... 22 B 3
Penhir (Pointe de) .... 12 A 2
Penne-d'Agenais .... 42 A 2
Percy .... 5 C 3
Périers .... 4 B 2
Périgueux .... 34 A 3
Pernes-les-Fontaines .... 45 D 3
Péronne .... 3 C 3
Pérouges .... 37 D 2
Perpignan .... 51 D 3
Perreux .... 36 B 1
Perros-Guirec .... 13 C 1
Le Perthus .... 51 D 3
Pertuis .... 54 A 1
Pervenchères .... 16 A 2
Pesmes .... 30 A 1
Petit St-Bernard (Col du) .... 39 C 2
La Petite-Pierre .... 21 C 1
Petite-Rosselle .... 11 C 3
Petreto-Bicchisano .... 55 D 3
Peyrat-le-Château .... 34 B 2
Peyrehorade .... 48 B 1
Peyresourde (Col de) .... 49 D 3
Peyriac-Minervois .... 51 D 2
Peyrol (Pas de) .... 35 D 2
Peyrolles-en-Provence ...... 54 A 1
Peyruis .... 46 A 3
Pézenas .... 52 A 2
Phalsbourg .... 21 C 1
Piana .... 55 C 2
Picquigny .... 2 B 3
Piedicroce .... 55 D 2
Piennes .... 10 A 3

Pierre-Buffière .... 34 B 2
Pierre-de-Bresse .... 30 A 2
Pierrefitte-Nestalas .... 49 D 2
Pierrefitte-sur-Aire .... 19 D 1
Pierrefonds .... 8 A 3
Pierrefontaine-les-Varans ... 31 C 1
Pierrefort .... 43 D 1
Pierrelatte .... 45 C 2
Les Pieux .... 4 A 1
Pilat (Mont) .... 37 C 3
Pilat-Plage .... 40 B 1
Piney .... 19 C 2
Pino .... 55 D 1
Pinols .... 44 A 1
Pionsat .... 35 D 1
Pipriac .... 14 A 3
Piriac-sur-Mer .... 22 B 3
Pissos .... 40 B 2
Pithiviers .... 17 D 2
Plabennec .... 12 B 1
La Plagne .... 38 B 2
Plaisance .... 49 D 1
Les Planches-
  en-Montagne .... 30 B 3
Plancoët .... 14 A 1
Plateau-d'Assy .... 38 B 1
Pleaux .... 35 C 3
Pleine-Fougères .... 14 B 1
Plélan-le-Grand .... 14 A 3
Plélan-le-Petit .... 14 A 2
Pléneuf-Val-André .... 14 A 1
Plestin-les-Grèves .... 13 C 1
Pleumartin .... 26 B 3
Pleumeur-Bodou .... 13 C 1
Pleyben .... 12 B 2
Ploemeur .... 13 C 3
Ploërmel .... 14 A 3
Plœuc-sur-Lié .... 13 D 2
Plombières-les-Bains .... 20 B 3
Plonéour-Lanvern .... 12 B 3
Plouagat .... 13 D 1
Plouaret .... 13 C 1
Plouay .... 13 C 3
Ploubalay .... 14 A 1
Ploudalmézeau .... 12 A 1
Plouescat .... 12 B 1
Plougasnou .... 13 C 1
Plougastel-Daoulas .... 12 B 2
Plougonven .... 13 C 1
Plouguenast .... 13 D 2
Plouha .... 13 D 1

A
B
C
D
E
F
G
H
I
J
K
L
M
N
O
P
Q
R
S
T
U
V
W
X
Y
Z

A
Plouigneau .... 13 C 1
Ploumanach .... 13 C 1
Plouzévédé .... 12 B 1
Pluvigner .... 13 D 3
Podensac .... 41 C 1
Le Poiré-sur-Vie .... 24 B 3
Poissons .... 19 D 2
Poitiers .... 26 A 3
Poix-de-Picardie .... 7 C 2
Poix-Terron .... 9 C 2
Poligny .... 30 A 2
Poncin .... 37 D 1
Pons .... 33 C 2
Pont-à-Marcq .... 3 D 2
Pont-à-Mousson .... 20 A 1
Pont-Audemer .... 6 A 3
Pont-Aven .... 13 C 3
Pont-Croix .... 12 A 2
Pont-d'Ain .... 37 D 1
Le Pont-de-Beauvoisin ..... 38 A 2
Pont-de-Chéruy .... 37 D 2
Le Pont-de-Claix .... 38 A 3
Pont-de-Dore .... 36 A 2
Pont-de-l'Arche .... 6 B 3
Le Pont-de-Montvert .... 44 B 2
Pont-de-Roide .... 31 C 1
Pont-de-Salars .... 43 D 2
Pont-de-Vaux .... 29 D 3
Pont-de-Veyle .... 37 C 1
Pont-d'Ouilly .... 5 D 3
Pont-du-Château .... 36 A 2
Pont du Gard .... 45 C 3
Pont-en-Royans .... 37 D 3
Pont-d'Espagne .... 49 C 2
Pont-l'Abbé .... 12 B 3
Pont-l'Évêque .... 5 D 2
Pont-Scorff .... 13 C 3
Pont-St-Esprit .... 45 C 2
Pont-St-Vincent .... 20 B 1
Pont-Ste-Maxence .... 7 D 3
Pont-sur-Yonne .... 18 A 2
Pontacq .... 49 C 2
Pontailler-sur-Saône .... 30 A 1
Pontarion .... 35 C 1
Pontarlier .... 30 B 2
Pontaubault .... 4 B 3
Pontaumur .... 35 D 2
Pontcharra .... 38 A 3
Pontchartrain .... 17 C 1
Pontchâteau .... 23 C 3
Ponte-Leccia .... 55 D 2

Le Pontet .... 45 C 3
Pontfaverger-Moronvilliers ...... 9 C 3
Pontgibaud .... 35 D 2
Pontigny .... 18 B 3
Pontivy .... 13 D 3
Pontlevoy .... 27 C 1
Pontoise .... 7 C 3
Pontorson .... 14 B 1
Pontrieux .... 13 D 1
Les Ponts-de-Cé .... 25 D 1
Pontvallain .... 16 A 3
Pornic .... 24 A 2
Pornichet .... 23 C 3
Porquerolles (Ile de) .... 54 B 2
Port (Col de) .... 50 B 2
Port-Barcarès .... 57 D 2
Port-Cros (Ile de) .... 54 B 2
Port-de-Bouc .... 53 D 2
Port-en-Bessin-Huppain .... 5 c 2
Port-Joinville .... 24 A 3
Port-la-Nouvelle .... 52 A 3
Port-Leucate .... 57 D 2
Port-Louis .... 13 C 3
Port-Manech .... 13 C 3
Port-Navalo .... 22 B 2
Port-St-Louis-du-Rhône .... 53 D 2
Port-Ste-Marie .... 41 D 2
Port-sur-Saône .... 20 B 3
Port-Vendres .... 57 D 3
La Porta .... 55 D 2
Portbail .... 4 B 2
Portet d'Aspet (Col de) ..... 50 A 2
Porto .... 55 D 2
Porto-Vecchio .... 55 D 3
Potigny .... 5 D 3
Pouancé .... 14 B 3
Pougues-les-Eaux .... 28 A 2
Pouilly-en-Auxois .... 29 D 2
Pouilly-sous-Charlieu ...... 36 B 1
Pouilly-sur-Loire .... 28 A 2
Le Pouldu .... 13 C 3
Le Pouliguen .... 23 C 3
Pouyastruc .... 49 D 2
Pouzauges .... 25 C 3
Le Pouzin .... 45 C 1
Pra-Loup .... 46 B 2
Pradelles .... 44 B 1
Prades .... 51 D 3
Prahecq .... 33 C 1
Pralognan-la-Vanoise ...... 38 B 3
Prats-de-Mollo-la-Preste .... 57 C 3

Prauthoy .... 30 A 1
Pré-en-Pail .... 15 D 2
Précy-sous-Thil .... 29 C 1
Prémery .... 28 B 2
La Preste .... 57 C 3
Preuilly-sur-Claise .... 26 B 2
La Primaube .... 43 D 2
Primel-Trégastel .... 13 C 1
Privas .... 45 C 1
Propriano .... 55 D 3
Provenchères-sur-Fave .... 21 C 2
Provins .... 18 A 2
Puget-Théniers .... 47 C 3
Puiseaux .... 17 D 2
Puisserguier .... 52 A 2
Pujols .... 41 C 1
Putanges-Pont-Écrepin ..... 5 D 3
Puttelange-aux-Lacs .... 11 C 3
Le Puy-en-Velay .... 44 B 1
Puy-Guillaume .... 36 A 1
Puy-l'Évêque .... 42 A 2
Puylaurens .... 51 C 1
Puymirol .... 42 A 3
Puymorens (Col de) .... 51 C 3
Pyla-sur-Mer .... 40 B 1

Q
Quarré-les-Tombes .... 29 C 1
Les Quatre Chemins .... 25 C 3
Quatre Vios (Col des) ...... 45 C 1
Quérigut .... 51 C 3
Le Quesnoy .... 3 D 3
Questembert .... 14 A 3
Quettehou .... 4 B 1
Quiberon .... 22 A 3
Quillan .... 51 C 3
Quillane (Col de) .... 51 C 3
Quillebeuf-sur-Seine .... 6 A 2
Quimper .... 12 B 3
Quimperlé .... 13 C 3
Quingey .... 30 B 2
Quintin .... 13 D 2
Quissac .... 44 B 3

R
Rabastens .... 42 B 3
Rabastens-de-Bigorre ...... 49 D 1
Rambervillers .... 20 B 2
Rambouillet .... 17 C 1
Rambucourt .... 20 A 1
Randan .... 36 A 1

Randanne .... 35 D 2
Raon-l'Étape .... 21 C 2
Raucourt-et-Flaba .... 9 D 2
Rayol-Canadel-sur-Mer .... 54 B 2
Raz (Pointe du)................ 12 A 2
Ré (Île de) .... 32 B 1
Réalmont .... 43 C 3
Rebais .... 18 A 1
Recey-sur-Ource .... 19 D 3
Redon .... 14 A 3
Reichshoffen .... 11 D 3
Reignier-Esery .... 38 B 1
Reillanne .... 46 A 3
Reims .... 8 B 3
Rémalard .... 16 A 2
Remiremont .... 20 B 3
Remoulins .... 45 C 3
Rémuzat .... 45 D 2
Renazé .... 15 C 3
Rennes .... 14 B 2
Rennes-les-Bains .... 51 C 2
Renwez .... 9 C 2
La Réole .... 41 C 2
Réquista .... 43 D 3
Ressons-sur-Matz .... 7 D 2
Rethel .... 9 C 2
Retiers .... 14 B 3
Retournac .... 36 B 3
Reuilly .... 27 D 2
Revard (Mont) .... 38 A 2
Revel .... 51 C 1
Revigny-sur-Ornain .... 19 D 1
Revin .... 9 C 1
Rhinau .... 21 D 2
Riaillé .... 23 D 3
Rians .... 54 A 1
Ribeauvillé .... 21 C 2
Ribécourt-Dreslincourt .... 7 D 2
Ribemont .... 8 A 2
Ribérac .... 33 D 3
Ribiers .... 46 A 2
Les Riceys .... 19 C 3
Richelieu .... 26 A 2
Rieumes .... 50 B 1
Rieupeyroux .... 43 C 3
Rieux .... 50 B 2
Riez .... 46 A 3
Rignac .... 43 C 2
Riom .... 36 A 2
Riom-ès-Montagnes .... 35 D 3

Rioz .... 30 B 1
Riquewihr .... 21 C 2
Riscle .... 49 D 1
Rive-de-Gier .... 37 C 2
Rives .... 37 D 3
Rivesaltes .... 51 D 3
La Rivière-Thibouville .... 6 A 3
Roanne .... 36 B 1
Rocamadour .... 42 B 1
La Roche-Bernard .... 23 C 3
La Roche-Canillac .... 35 C 3
La Roche-Chalais .... 33 D 3
La Roche-Derrien .... 13 C 1
La Roche-Guyon .... 7 C 3
La Roche-Posay .... 26 B 3
La Roche-sur-Foron .... 38 B 1
La Roche-sur-Yon .... 24 B 3
Rochebonne (Château de) ... 45 C 1
Rochechouart .... 34 A 2
Rochefort .... 32 B 1
Rochefort-en-Terre .... 14 A 3
Rochefort-Montagne .... 35 D 2
Rochefort-sur-Nenon .... 30 A 2
La Rochefoucauld .... 33 D 2
La Rochelle .... 32 B 1
Rochemaure .... 45 C 2
La Rochepot .... 29 D 2
Rocheservière .... 24 B 2
La Rochette .... 38 A 3
Rocroi .... 9 C 1
Rodez .... 43 D 2
Rogliano .... 55 D 1
Rohan .... 13 D 3
Rohrbach-lès-Bitche .... 11 C 3
Roisel .... 3 D 3
Roissy-en-France .... 17 D 1
Romans-sur-Isère .... 45 D 1
Rombas .... 10 A 3
Romilly-sur-Seine .... 18 B 2
Romorantin-Lanthenay .... 27 C 1
Ronce-les-Bains .... 32 B 2
Ronchamp .... 20 B 3
La Roque-Gageac .... 42 A 1
Roquebillière .... 47 C 3
Roquebrun .... 52 A 2
Roquebrune-Cap-Martin ...... 47 D 3
La Roquebrussanne .... 54 A 1
Roquecourbe .... 51 C 1
Roquefort .... 41 C 3
Roquefort-sur-Soulzon .... 43 D 3
Roquemaure .... 45 C 3

Roquesteron .... 47 C 3
Roquevaire .... 54 A 1
Rosans .... 45 D 2
Roscoff .... 12 B 1
Rosheim .... 21 D 1
La Rosière-1850 .... 38 B 2
Rosières-en-Santerre .... 7 D 2
Les Rosiers-sur-Loire .... 25 D 1
Rosporden .... 12 B 3
Rostrenen .... 13 C 2
Rothéneuf .... 14 A 1
Roubaix .... 3 D 2
Rouen .... 6 B 3
Rouffach .... 21 C 3
Rougé .... 14 B 3
Rougemont .... 30 B 1
Rougemont-le-Château .... 21 C 3
Rouillac .... 33 D 2
Roujan .... 52 A 2
Roulans .... 30 B 1
Les Rousses .... 30 B 3
Rousset (Col de) .... 45 D 1
Royan .... 32 B 2
Royat .... 35 D 2
Roybon .... 37 D 3
Roye .... 7 D 2
Royère-de-Vassivière .... 35 C 2
Rozay-en-Brie .... 18 A 1
Le Rozier .... 44 A 3
Rozoy-sur-Serre .... 8 B 2
Rue .... 2 A 3
Ruelle-sur-Touvre .... 33 D 2
Ruffec .... 33 D 1
Ruffieux .... 38 A 2
Rugles .... 16 A 1
Rumengol .... 12 B 2
Rumigny .... 9 C 2
Rumilly .... 38 A 2
Ruoms .... 45 C 2
Rupt-sur-Moselle .... 20 B 3
Le Russey .... 31 C 2
Ruynes-en-Margeride .... 44 A 1

S

Saales .... 21 C 2
Sablé-sur-Sarthe .... 15 D 3
Les Sables-d'Olonne .... 24 B 3
Sables-d'Or-les-Pins .... 14 A 1
Sabres .... 40 B 3
Saillagouse .... 51 C 3
Saillans .... 45 D 1

A
B
C
D
E
F
G
H
I
J
K
L
M
N
O
P
Q
R
S
T
U
V
W
X
Y
Z

Sains-du-Nord .... 8 B 1
Sains-Richaumont .... 8 B 2
St-Affrique .... 43 D 3
St-Agnant .... 32 B 2
St-Agrève .... 45 C 1
St-Aignan .... 27 C 2
St-Aignan-sur-Roë .... 15 C 3
St-Alban-sur-Limagnole .... 44 A 1
St-Amand-en-Puisaye .... 28 A 1
St-Amand-les-Eaux .... 3 D 2
St-Amand-Longpré .... 26 B 1
St-Amand-Montrond .... 27 D 3
St-Amans .... 44 A 1
St-Amans-des-Cots .... 43 D 1
St-Amans-Soult .... 51 D 1
St-Amant-Roche-Savine .... 36 A 2
St-Amant-Tallende .... 36 A 2
St-Amarin .... 21 C 3
St-Ambroix .... 44 B 2
St-Amé .... 20 B 3
St-Amour .... 30 A 3
St-André-de-Cubzac .... 41 C 1
St-André-de-l'Eure .... 16 B 1
St-André-de-Valborgne .... 44 A 3
St-André-les-Alpes .... 46 B 3
St-Anthème .... 36 B 2
St-Antonin-Noble-Val .... 42 B 3
St-Arnoult-en-Yvelines .... 17 C 2
St-Astier .... 33 D 3
St-Auban .... 46 B 3
St-Aubin-d'Aubigné .... 14 B 2
St-Aubin-du-Cormier .... 14 B 2
St-Aubin-sur-Mer .... 5 D 2
St-Aulaye .... 33 D 3
St-Avold .... 10 B 3
St-Aygulf .... 55 C 1
St-Béat .... 50 A 2
St-Beauzély .... 43 D 3
St-Benin-d'Azy .... 28 B 2
St-Benoît-du-Sault .... 27 C 3
St-Benoît-sur-Loire .... 17 D 3
St-Bertrand-de-Comminges . 50 A 2
St-Blin .... 20 A 2
St-Bonnet-de-Joux .... 29 D 3
St-Bonnet-en-Champsaur ..... 46 A 1
St-Bonnet-le-Château .... 36 B 3
St-Brevin-les-Pins .... 23 C 3
St-Briac-sur-Mer .... 14 A 1
St-Brice-en-Coglès .... 14 B 2
St-Brieuc .... 13 D 2
St-Calais .... 16 A 3

St-Cast-le-Guildo .... 14 A 1
St-Céré .... 43 C 1
St-Cernin .... 43 C 1
St-Chamas .... 53 D 2
St-Chamond .... 37 C 3
St-Chély-d'Apcher .... 44 A 1
St-Chély-d'Aubrac .... 43 D 2
St-Chinian .... 57 D 1
St-Ciers-sur-Gironde .... 33 C 3
St-Cirq-Lapopie .... 42 B 2
St-Clair-sur-l'Elle .... 5 C 2
St-Clar .... 42 A 3
St-Claud .... 33 D 2
St-Claude .... 30 B 3
St-Cyprien .... 42 A 1
St-Cyprien-Plage .... 57 D 3
St-Denis .... 17 D 1
St-Denis-d'Oléron .... 32 A 1
St-Denis-d'Orques .... 15 D 3
St-Didier-en-Velay .... 36 B 3
St-Dié-des-Vosges .... 21 C 2
St-Dier-d'Auvergne .... 36 A 2
St-Dizier .... 19 D 1
St-Donat-sur-l'Herbasse ...... 37 D 3
St-Éloy-les-Mines .... 35 D 1
St-Émilion .... 41 C 1
St-Étienne .... 37 C 3
St-Étienne-Cantalès
      (Barrage de) .... 43 C 1
St-Étienne-de-Baïgorry .... 48 A 2
St-Étienne-de-Lugdarès .... 44 B 1
St-Étienne-de-Montluc .... 23 D 3
St-Étienne-de-St-Geoirs ...... 37 D 3
St-Étienne-de-Tinée .... 47 C 2
St-Étienne-en-Dévoluy .... 46 A 1
St-Étienne-les-Orgues .... 46 A 3
St-Fargeau .... 28 A 1
St-Félicien .... 37 C 3
St-Firmin .... 46 A 1
St-Florent .... 55 D 2
St-Florent-le-Vieil .... 25 C 1
St-Florent-sur-Cher .... 27 D 2
St-Florentin .... 18 B 3
St-Flour .... 43 D 1
St-François-Longchamp .... 38 B 3
St-Fulgent .... 25 C 2
St-Galmier .... 36 B 2
St-Gaudens .... 50 A 2
St-Gaultier .... 27 C 3
St-Genest-Malifaux .... 37 C 3
St-Gengoux-le-National .... 29 D 3

St-Geniez-d'Olt .... 43 D 2
St-Genis-de-Saintonge .... 33 C 3
St-Genis-Laval .... 37 C 2
St-Genix-sur-Guiers .... 38 A 2
St-Geoire-en-Valdaine .... 38 A 3
St-Georges-de-Didonne .... 32 B 2
St-Georges-en-Couzan .... 36 B 2
St-Georges-sur-Loire .... 25 C 1
St-Germain-de-Calberte .... 44 B 2
St-Germain-des-Fossés .... 36 A 1
St-Germain-du-Bois .... 30 A 3
St-Germain-du-Plain .... 29 D 3
St-Germain-du-Teil .... 44 A 2
St-Germain-en-Laye .... 17 C 1
St-Germain-Laval .... 36 B 2
St-Germain-Lembron .... 36 A 3
St-Germain-les-Belles .... 34 B 2
St-Germain-l'Herm .... 36 A 3
St-Gervais-d'Auvergne .... 35 D 1
St-Gervais-les-Bains .... 38 B 1
St-Gervais-
      les-Trois-Clochers .... 26 A 2
St-Gervais-sur-Mare .... 52 A 2
St-Géry .... 42 B 2
St-Gildas (Pointe de) .... 23 C 3
St-Gildas-de-Rhuys .... 22 B 3
St-Gildas-des-Bois .... 23 C 3
St-Gilles .... 53 C 2
St-Gilles-Croix-de-Vie .... 24 B 3
St-Gingolph .... 31 C 3
St-Girons .... 50 B 2
St-Girons-Plage .... 40 A 3
St-Gobain .... 8 A 2
St-Guénolé .... 12 B 3
St-Guilhem-le-Désert .... 52 A 1
St-Haon-le-Châtel .... 36 B 1
St-Herblain .... 23 D 3
St-Hilaire .... 51 C 2
St-Hilaire-de-Riez .... 24 B 3
St-Hilaire-de-Villefranche ..... 33 C 2
St-Hilaire-des-Loges .... 25 D 3
St-Hilaire-du-Harcouët .... 15 C 1
St-Hippolyte .... 31 C 1
St-Hippolyte-du-Fort .... 44 B 3
St-Honoré-les-Bains .... 29 C 2
St-Jacques-de-la-Lande .... 14 B 3
St-Jacut-de-la-Mer .... 14 A 1
St-James .... 14 B 2
St-Jean-Brévelay .... 13 D 3
St-Jean-Cap-Ferrat .... 47 D 3
St-Jean-d'Angély .... 33 C 1

A B C D E F G H I J K L M N O P Q R S T U V W X Y Z

St-Jean-de-Bournay .... **37 D 2**
St-Jean-de-Daye .... **4 B 2**
St-Jean-de-Losne .... **30 A 2**
St-Jean-de-Luz .... **48 A 1**
St-Jean-de-Maurienne .... **38 B 3**
St-Jean-de-Monts .... **24 A 2**
St-Jean-du-Bruel .... **44 A 3**
St-Jean-du-Gard .... **44 B 3**
St-Jean-en-Royans .... **45 D 1**
St-Jean-l'Ars .... **26 A 3**
St-Jean-Pied-de-Port .... **48 B 2**
St-Jeoire .... **38 B 1**
St-Jouin-de-Marnes .... **25 D 2**
St-Juéry .... **43 C 3**
St-Julien .... **30 A 3**
St-Julien-Chapteuil .... **44 B 1**
St-Julien-de-Vouvantes ...... **23 D 2**
St-Julien-du-Sault .... **18 A 3**
St-Julien-en-Genevois .... **38 A 1**
St-Julien-l'Ars .... **26 A 3**
St-Junien .... **34 A 2**
St-Just-en-Chaussée .... **7 D 2**
St-Just-en-Chevalet .... **36 B 2**
St-Just-St-Rambert .... **36 B 3**
St-Justin .... **41 C 3**
St-Lary-Soulan .... **49 D 3**
St-Laurent-de-Chamousset . **37 C 2**
St-Laurent-de-la-Salanque .. **57 D 2**
St-Laurent-du-Pont .... **38 A 3**
St-Laurent-en-Grandvaux .... **30 B 3**
St-Laurent-les-Bains .... **44 B 2**
St-Laurent-Médoc .... **32 B 3**
St-Laurent-sur-Gorre .... **34 A 2**
St-Laurent-sur-Mer .... **5 C 2**
St-Laurent-sur-Sèvre .... **25 C 2**
St-Léger-sous-Beuvray .... **29 C 2**
St-Léonard-de-Noblat .... **34 B 2**
St-Lô .... **5 C 2**
St-Louis .... **31 D 1**
St-Loup-Lamairé .... **25 D 3**
St-Loup-sur-Semouse .... **20 B 3**
St-Lunaire .... **14 A 1**
St-Lys .... **50 B 1**
St-Macaire .... **41 C 2**
St-Maixent-l'École .... **25 D 3**
St-Malo .... **14 A 1**
St-Malo-de-la-Lande .... **4 B 2**
St-Mamet-la-Salvetat .... **43 C 1**
St-Mandrier-sur-Mer .... **54 A 2**
St-Marcellin .... **37 D 3**
St-Mars-la-Jaille .... **23 D 3**
St-Martin-d'Auxigny .... **27 D 2**

St-Martin-de-Belleville .... **38 B 3**
St-Martin-de-Crau .... **53 D 2**
St-Martin-de-Londres .... **44 B 3**
St-Martin-de-Ré .... **32 A 1**
St-Martin-de-Seignanx .... **48 A 1**
St-Martin-de-Valamas .... **45 C 1**
St-Martin-du-Canigou
  (Abbaye de) .... **51 D 3**
St-Martin-en-Bresse .... **29 D 3**
St-Martin-Vésubie .... **47 C 3**
St-Martory .... **50 A 2**
St-Mathieu .... **34 A 2**
St-Mathieu *(Pointe de)* .... **12 A 2**
St-Maximin-la-Ste-Baume ... **54 A 1**
St-Médard-en-Jalles .... **40 B 1**
St-Méen-le-Grand .... **14 A 2**
St-Michel .... **8 B 1**
St-Michel-de-Maurienne ..... **38 B 3**
St-Michel-en-Grève .... **13 C 1**
St-Michel-en-l'Herm .... **25 C 3**
St-Michel-Mont-Mercure ..... **25 C 2**
St-Mihiel .... **20 A 1**
St-Nazaire .... **23 C 3**
St-Nectaire .... **35 D 2**
St-Nicolas-d'Aliermont .... **6 B 2**
St-Nicolas-de-la-Grave .... **42 A 3**
St-Nicolas-de-Port .... **20 B 1**
St-Nicolas-du-Pélem .... **13 C 2**
St-Omer .... **2 B 1**
St-Pair-sur-Mer .... **4 B 3**
St-Palais .... **48 B 1**
St-Palais-sur-Mer .... **32 B 2**
St-Pardoux-la-Rivière .... **34 A 3**
St-Paul .... **47 C 3**
St-Paul-Cap-de-Joux .... **51 C 1**
St-Paul-de-Fenouillet .... **51 D 3**
St-Paul-sur-Ubaye .... **46 B 2**
St-Paul-Trois-Châteaux ...... **45 C 2**
St-Paulien .... **36 B 3**
St-Pé-de-Bigorre .... **49 C 2**
St-Pée-sur-Nivelle .... **48 A 1**
St-Péray .... **45 C 1**
St-Père-en-Retz .... **23 C 3**
St-Philbert-de-Grand-Lieu .. **24 B 2**
St-Pierre-d'Albigny .... **38 A 2**
St-Pierre-de-Chartreuse ..... **38 A 3**
St-Pierre-de-Chignac .... **34 A 3**
St-Pierre-d'Oléron .... **32 B 1**
St-Pierre-Église .... **4 B 1**
St-Pierre-le-Moûtier .... **28 A 3**
St-Pierre-Quiberon .... **22 A 2**

St-Pierre-sur-Dives .... **5 D 3**
St-Pois .... **5 C 3**
St-Pol-de-Léon .... **12 B 1**
St-Pol-sur-Ternoise .... **2 B 2**
St-Pons-de-Thomières .... **51 D 1**
St-Porchaire .... **32 B 2**
St-Pourçain-sur-Sioule .... **36 A 1**
St-Privat .... **35 C 3**
St-Quay-Portrieux .... **13 D 1**
St-Quentin .... **8 A 2**
St-Rambert-d'Albon .... **37 C 3**
St-Rambert-en-Bugey .... **37 D 1**
St-Raphaël .... **55 C 1**
St-Rémy-de-Provence .... **45 C 3**
St-Rémy-sur-Durolle .... **36 A 2**
St-Renan .... **12 A 2**
St-Riquier .... **2 B 3**
St-Romain-de-Colbosc .... **6 A 2**
St-Rome-de-Tarn .... **43 D 3**
St-Saëns .... **6 B 2**
St-Satur .... **28 A 1**
St-Saulge .... **28 B 2**
St-Sauveur-en-Puisaye .... **28 B 1**
St-Sauveur-le-Vicomte .... **4 B 2**
St-Sauveur-Lendelin .... **4 B 2**
St-Sauveur-sur-Tinée .... **47 C 3**
St-Savin *(Gironde)* .... **33 C 3**
St-Savin *(Vienne)* .... **26 B 3**
St-Savinien .... **33 C 2**
St-Seine-l'Abbaye .... **29 D 1**
St-Sernin-sur-Rance .... **43 D 3**
St-Servan-sur-Mer .... **14 A 1**
St-Sever .... **40 B 3**
St-Sever-Calvados .... **5 C 3**
St-Sulpice-les-Feuilles .... **34 B 1**
St-Symphorien .... **41 C 2**
St-Symphorien-de-Lay .... **36 B 2**
St-Symphorien-d'Ozon .... **37 C 2**
St-Symphorien-sur-Coise ... **37 C 2**
St-Thégonnec .... **12 B 1**
St-Trivier-de-Courtes .... **30 A 3**
St-Trivier-sur-Moignans ...... **37 C 1**
St-Trojan-les-Bains .... **32 B 2**
St-Tropez .... **55 C 1**
St-Vaast-la-Hougue .... **4 B 1**
St-Valery-en-Caux .... **6 A 2**
St-Valery-sur-Somme .... **2 A 3**
St-Vallier .... **37 C 3**
St-Vallier-de-Thiey .... **47 C 3**
St-Varent .... **25 D 2**
St-Vaury .... **34 B 1**

A
B
C
D
E
F
G
H
I
J
K
L
M
N
O
P
Q
R
S
T
U
V
W
X
Y
Z

A
B
C
D
E
F
G
H
I
J
K
L
M
N
O
P
Q
R
S
T
U
V
W
X
Y
Z

St-Véran .... 47 C 1
St-Vincent-de-Tyrosse .... 48 B 1
St-Vivien-de-Médoc .... 32 B 3
St-Wandrille-Rançon .... 6 A 2
St-Yorre .... 36 A 1
St-Yrieix-la-Perche .... 34 B 3
Ste-Adresse .... 5 D 2
Ste-Anne-d'Auray .... 13 D 3
La Ste-Baume .... 54 A 1
Ste-Croix-du-Mont .... 41 C 2
Ste-Croix-Volvestre .... 50 B 2
Ste-Enimie .... 44 A 2
Ste-Foy-la-Grande .... 41 D 1
Ste-Foy-l'Argentière .... 37 C 3
Ste-Geneviève-
   sur-Argence .... 43 D 1
Ste-Hélène .... 40 B 1
Ste-Hermine .... 25 C 3
Ste-Livrade-sur-Lot .... 41 D 2
Ste-Lucie-de-Tallano .... 55 D 3
Ste-Marie-aux-Mines .... 21 C 2
Ste-Marie-Sicché .... 55 D 3
Ste-Maure-de-Touraine ..... 26 B 2
Ste-Maxime .... 55 C 1
Ste-Menéhould .... 9 D 3
Ste-Mère-Église .... 4 B 2
Ste-Odile (Mont) .... 21 D 2
Ste-Sévère-sur-Indre .... 27 D 3
Ste-Suzanne .... 15 D 3
Ste-Tulle .... 46 A 3
Saintes .... 33 C 2
Stes-Maries-de-la-Mer ...... 53 C 2
Saissac .... 51 C 1
Salbris .... 27 D 1
Salernes .... 54 B 1
Salers .... 35 D 3
Salies-de-Béarn .... 48 B 1
Salies-du-Salat .... 50 A 2
Salignac-Eyvigues .... 42 B 1
Salindres .... 44 B 3
Salins-les-Bains .... 30 B 2
Sallanches .... 38 B 1
Salles-Curan .... 43 D 3
Salles-d'Aude .... 52 A 3
Salon-de-Provence .... 53 D 2
Salses-le-Château .... 51 D 3
Salvagnac .... 42 B 3
La Salvetat-Peyralès .... 43 C 3
La Salvetat-sur-Agout .... 51 D 1
Salviac .... 42 B 1
Samatan .... 50 A 1

Samer .... 2 B 2
Samoëns .... 38 B 1
Sanary-sur-Mer .... 54 A 2
Sancergues .... 28 A 2
Sancerre .... 28 A 1
Sancoins .... 28 A 3
Sancy (Puy de) .... 35 D 3
Sanguinaires (Iles) .... 55 C 3
Sanguinet .... 40 B 2
Santo-Pietro-di-Tenda .... 55 D 2
Saorge .... 47 D 3
Saramon .... 50 A 1
Sarcelles .... 7 D 3
Sari-d'Orcino .... 55 D 3
Sarlat-la-Canèda .... 42 A 1
Sarralbe .... 11 C 3
Sarrans (Barrage de) .... 43 D 1
Sarre-Union .... 11 C 3
Sarrebourg .... 21 C 1
Sarreguemines .... 11 C 3
Sars-Poteries .... 8 B 1
Sartène .... 55 D 3
Sartilly .... 4 B 3
Sarzeau .... 22 B 2
Sassenage .... 38 A 3
Satillieu .... 37 C 3
Satolas-et-Bonce .... 37 D 2
Saugues .... 44 A 1
Saujon .... 32 B 2
Saulieu .... 29 C 1
Sault .... 45 D 3
Saulx .... 20 B 3
Saulxures-sur-Moselotte ... 21 C 3
Saumur .... 25 D 2
Sautet (Barrage du) .... 46 A 1
Sauve .... 44 B 3
Sauveterre-de-Béarn .... 48 B 1
Sauveterre-de-Guyenne .... 41 C 1
Sauveterre-de-Rouergue ... 43 C 2
Sauxillanges .... 36 A 2
Le Sauze .... 46 B 2
Sauzé-Vaussais .... 33 D 1
Sauzon .... 22 A 3
Savenay .... 23 C 3
Saverdun .... 50 B 2
Saverne .... 21 C 1
Savignac-les-Églises .... 34 A 3
Savigny-sur-Braye .... 16 B 3
Savine (Col de la) .... 30 B 3
Savines-le-Lac .... 46 B 2
Scaër .... 13 C 3

Scey-sur-Saône-
   et-St-Albin .... 20 A 3
Schirmeck .... 21 C 2
Schlucht (Col de la) .... 21 C 2
Seclin .... 3 C 2
Secondigny .... 25 D 3
Sedan .... 9 D 2
Séderon .... 45 D 2
Seebach .... 11 D 3
Sées .... 16 A 1
Segonzac .... 33 C 2
Segré .... 15 C 3
Seiches-sur-le-Loir .... 25 D 1
Seignelay .... 18 B 3
Seilhac .... 34 B 3
Sein (Ile de) .... 12 A 2
Seissan .... 50 A 1
Sélestat .... 21 D 2
Selles-sur-Cher .... 27 C 2
Sellières .... 30 A 2
Selommes .... 16 B 3
Selongey .... 30 A 1
Seltz .... 11 D 3
Semur-en-Auxois .... 29 C 1
Semur-en-Brionnais .... 36 B 1
Sénas .... 53 D 1
Senez .... 46 B 3
Senlis .... 7 D 3
Sennecey-le-Grand .... 29 D 3
Senonches .... 16 B 2
Senones .... 21 C 2
Sens .... 18 A 2
Sépeaux .... 18 A 3
Sermaize-les-Bains .... 19 D 1
Serre-Ponçon
   (Barrage et Lac de) .... 46 B 2
Serres .... 46 A 2
Serrières .... 37 C 3
Servian .... 52 A 2
Sète .... 52 B 2
Les Settons .... 29 C 2
Seurre .... 30 A 2
Sévérac-le-Château .... 43 D 2
Sévrier .... 38 A 2
Seyches .... 41 D 2
Seyne .... 46 B 2
La Seyne-sur-Mer .... 54 A 2
Seyssel .... 38 A 1
Sézanne .... 18 B 1
Sierck-les-Bains .... 10 B 2
Sierentz .... 21 D 3

Sigean .... 52 A 3
Signy-l'Abbaye .... 9 C 2
Sillé-le-Guillaume .... 15 D 2
Sissonne .... 8 B 2
Sisteron .... 46 A 2
Six-Fours-
  les-Plages .... 54 A 2
Sizun .... 12 B 2
Soccia .... 55 D 2
Sochaux .... 31 C 1
Soissons .... 8 A 3
Solenzara .... 55 D 3
Solesmes (Nord) .... 3 D 3
Solesmes (Sarthe) .... 15 D 3
Solignac .... 34 B 2
Solignac-sur-Loire .... 44 B 1
Solliès-Pont .... 54 B 2
Solre-le-Château .... 8 B 1
Sombernon .... 29 D 1
Sommesous .... 19 C 1
Sommières .... 44 B 3
Somport (Col du) .... 49 C 3
Songeons .... 7 C 2
Sore .... 41 C 2
Sorgues .... 45 C 3
Sospel .... 47 D 3
Souesmes .... 27 D 1
Soufflenheim .... 21 D 1
Souillac .... 42 B 1
Souilly .... 9 D 3
Soulac-sur-Mer .... 32 B 2
Soulaines-Dhuys .... 19 C 2
Soultz-Haut-Rhin .... 21 C 3
Soultz-sous-Forêts .... 11 D 3
Souppes-sur-Loing .... 17 D 2
Sourdeval .... 5 C 3
Sournia .... 51 D 3
Sousceyrac .... 43 C 1
Soustons .... 40 A 3
La Souterraine .... 34 B 1
Souvigny .... 28 B 3
Spincourt .... 10 A 3
Steenvoorde .... 3 C 1
Stenay .... 9 D 2
Strasbourg .... 21 D 1
Suippes .... 9 C 3
Sully-sur-Loire .... 17 D 3
Super-Besse .... 35 D 3
Surgères .... 32 B 1
Survilliers .... 7 D 3
La Suze-sur-Sarthe .... 15 D 3

T

Tain-l'Hermitage .... 37 C 3
Tallard .... 46 A 2
Talloires .... 38 A 2
Talmont-St-Hilaire .... 24 B 3
Tancarville (Pont de) .... 6 A 2
Taninges .... 38 B 1
Tanlay .... 19 C 3
Tarare .... 37 C 2
Tarascon .... 45 C 3
Tarascon-sur-Ariège .... 50 B 3
Tarbes .... 49 D 2
Tardets-Sorholus .... 48 B 2
Targon .... 41 C 1
Tarnos .... 48 A 1
Tartas .... 40 B 3
Tassin-la-Demi-Lune .... 37 C 2
Taulé .... 12 B 1
Tauves .... 35 D 2
Tavaux .... 30 A 2
Tavernes .... 54 A 1
Le Teil .... 45 C 2
Le Teilleul .... 15 C 2
Tence .... 36 B 3
Tende .... 47 D 3
Tende (Col de) .... 47 D 2
Tergnier .... 8 A 2
Terrasson-Lavilledieu .... 34 B 3
Terrenoire .... 37 C 3
Tessy-sur-Vire .... 5 C 3
La Teste-de-Buch .... 40 B 1
Thann .... 21 C 3
Thaon-les-Vosges .... 20 B 2
Le Theil .... 16 A 2
Thénezay .... 26 A 3
Thenon .... 34 A 3
Théoule-sur-Mer .... 55 C 1
Thérouanne .... 2 B 2
Thèze .... 49 C 1
Thiaucourt-Regniéville .... 20 A 1
Thiberville .... 6 A 3
Thiéblemont-Farémont .... 19 C 2
Thiers .... 36 A 2
Le Thillot .... 21 C 3
Thionville .... 10 A 3
Thiviers .... 34 A 3
Thizy .... 36 B 1
Thoissey .... 37 C 1
Thollon-les-Mémises .... 31 C 3
Thônes .... 38 B 2

Thonon-les-Bains .... 31 C 3
Thorens-Glières .... 38 B 1
Thouarcé .... 25 D 1
Thouars .... 25 D 2
Thueyts .... 44 B 1
Thuir .... 51 D 3
Thury-Harcourt .... 5 C 3
Tiercé .... 25 D 1
Tignes .... 39 C 2
Tignes (Barrage de) .... 39 C 2
Tillières-sur-Avre .... 16 B 1
Tilly-sur-Seulles .... 5 C 2
Tinchebray .... 5 C 3
Tinténiac .... 14 B 2
Tombebœuf .... 41 D 2
Tonnay-Boutonne .... 33 C 1
Tonnay-Charente .... 32 B 1
Tonneins .... 41 D 2
Tonnerre .... 18 B 3
Torcy .... 17 D 1
Torigni-sur-Vire .... 5 C 3
Tôtes .... 6 B 2
Toucy .... 18 A 3
Toul .... 20 A 1
Toulon .... 54 A 2
Toulon-sur-Arroux .... 29 C 3
Toulouse .... 50 B 1
Le Touquet-Paris-Plage .... 2 A 2
La Tour-d'Auvergne .... 35 D 2
La Tour-du-Pin .... 37 D 2
La Tour-Fondue .... 54 B 2
Tourcoing .... 3 D 1
Tourmalet (Col du) .... 49 D 2
Tournan-en-Brie .... 17 D 1
Tournay .... 49 D 2
Tournoël (Château de) .... 35 D 2
Tournon-d'Agenais .... 42 A 2
Tournon-St-Martin .... 26 B 3
Tournon-sur-Rhône .... 37 C 3
Tournus .... 29 D 3
Tourouvre .... 16 A 1
Tours .... 26 B 1
Toury .... 17 C 2
La Toussuire .... 38 B 3
Toutes Aures (Col de) .... 46 B 3
Le Touvet .... 38 A 3
La Tranche-sur-Mer .... 24 B 3
Le Trayas .... 55 C 1
Trébeurden .... 13 C 1
Tréboul .... 12 B 2
Treffort .... 37 D 1

A

Trégastel .... 13 C 1
Tréguier .... 13 C 1
Treignac .... 34 B 2
Trélon .... 8 B 1
La Tremblade .... 32 B 2
Le Tréport .... 2 A 3
Trets .... 54 A 1
Trèves .... 44 A 3
Trévières .... 5 C 2
Trévoux .... 37 C 1
Triaucourt-en-Argonne .... 19 D 1
Trie-sur-Baïse .... 49 D 1
La Trimouille .... 26 B 3
La Trinité-Porhoët .... 13 D 3
La Trinité-sur-Mer .... 22 B 2
Troarn .... 5 D 2
Les Trois-Épis .... 21 C 2
Les Trois-Moutiers .... 26 A 2
Troo .... 16 A 3
Trouville-sur-Mer .... 5 D 2
Troyes .... 18 B 2
Truchtersheim .... 21 D 1
Trun .... 15 D 1
Tuchan .... 51 D 2
Tuffé .... 16 A 3
Tulle .... 34 B 3
Tullins .... 37 D 3
La Turballe .... 22 B 3
La Turbie .... 47 D 3
Turckheim .... 21 C 2
Turriers .... 46 B 2

U

Uckange .... 10 A 3
Ugine .... 38 B 2
Urdos .... 49 C 2
Urepel .... 48 A 2
Uriage-les-Bains .... 38 A 3
Ury .... 17 D 2
Ussat .... 50 B 3
Ussé .... 26 A 2
Ussel .... 35 C 2
Ustaritz .... 48 A 1
Utelle .... 47 C 3
Uzel .... 13 D 2
Uzerche .... 34 B 3
Uzès .... 45 C 3

V

Vabre .... 51 D 1
Vaiges .... 15 D 3

Vailly-sur-Aisne .... 8 B 3
Vailly-sur-Sauldre .... 28 A 1
Vaison-la-Romaine .... 45 D 2
Le Val-André .... 13 D 1
Le Val-d'Ajol .... 20 B 3
Val-de-Reuil .... 6 B 3
Val-d'Isère .... 39 C 2
Val-Thorens .... 38 B 3
Valberg .... 47 C 3
Valbonnais .... 46 A 1
Valdahon .... 30 B 2
Valderiès .... 43 C 3
Valençay .... 27 C 2
Valence .... 45 C 1
Valence-d'Agen .... 42 A 3
Valence-d'Albigeois .... 43 C 3
Valence-sur-Baïse .... 41 D 3
Valenciennes .... 3 D 2
Valensole .... 46 A 3
Valentigney .... 31 C 1
Valgorge .... 44 B 2
Valleraugue .... 44 A 3
Vallet .... 23 D 3
Valloire .... 38 B 3
Vallon-en-Sully .... 28 A 3
Vallon-Pont-d'Arc .... 45 C 2
Vallorcine .... 39 C 1
Vallouise .... 46 B 1
Valmont .... 6 A 2
Valmorel .... 38 B 3
Valognes .... 4 B 2
Valras-Plage .... 52 A 3
Valréas .... 45 D 2
Vals-les-Bains .... 45 C 1
Vannes .... 22 B 2
Les Vans .... 44 B 2
Vaour .... 42 B 3
Varades .... 25 C 1
Varengeville-sur-Mer .... 6 B 1
Varennes-en-Argonne .... 9 D 3
Varennes-sur-Allier .... 36 A 1
Varennes-sur-Amance .... 20 A 3
Varilhes .... 50 B 2
Vars .... 46 B 1
Vars *(Col de)* .... 46 B 2
Varzy .... 28 B 1
Vassieux-en-Vercors .... 45 D 1
Vassy .... 5 C 3
Vatan .... 27 C 2
Vaucouleurs .... 20 A 1
Vauvert .... 53 C 2

Vauvillers .... 20 B 3
Vaux-le-Vicomte
   (Château de) .... 17 D 2
Vayrac .... 42 A 3
Vélines .... 41 D 1
Venaco .... 55 D 2
Venarey-les-Laumes .... 29 C 1
Vence .... 47 C 3
Vendeuvre-sur-Barse .... 19 C 2
Vendôme .... 16 B 3
Ventadour *(Ruines de)*...... 35 C 3
Ventoux *(Mont)* .... 45 D 3
Verberie .... 7 D 3
Vercel-Villedieu-le-Camp .... 30 B 2
Verde *(Col de)* .... 55 D 3
Verdon *(Grand Canyon du)* .. 46 B 3
Le Verdon-sur-Mer .... 32 B 2
Verdun .... 9 D 3
Verdun-sur-Garonne .... 42 A 3
Verdun-sur-le-Doubs .... 29 D 2
Vergio *(Col de)*................. 55 D 2
Vergt .... 42 A 1
Vermand .... 8 A 2
Vermenton .... 28 B 1
Vernet-les-Bains .... 51 D 3
Verneuil-sur-Avre .... 16 B 1
Vernon .... 6 B 3
Vernoux-en-Vivarais .... 45 C 1
Verny .... 10 B 3
La Verpillière .... 37 D 2
Versailles .... 17 D 1
Verteillac .... 33 D 3
Vertus .... 18 B 1
Vervins .... 8 B 2
Verzy .... 9 C 3
Vescovato .... 55 D 3
Vesoul .... 30 B 1
Veules-les-Roses .... 6 A 2
Veulettes-sur-Mer .... 6 A 2
Veynes .... 46 A 2
Veyre-Monton .... 36 A 2
Veyrier-du-Lac .... 38 A 2
Vézelay .... 28 B 1
Vézelise .... 20 B 2
Vézénobres .... 44 B 3
Vézins-de-Lévézou .... 43 D 2
Vezzani .... 55 D 2
Vias .... 52 A 2
Vibraye .... 16 A 3
Vic-en-Bigorre .... 49 D 1
Vic-Fezensac .... 41 D 3

Vic-le-Comte .... 36 A 2
Vic-sur-Aisne .... 8 A 3
Vic-sur-Cère .... 43 D 1
Vicdessos .... 50 B 3
Vichy .... 36 A 1
Vico .... 55 D 2
Vidauban .... 54 B 1
Vielle-Aure .... 49 D 3
Vielmur-sur-Agout .... 51 C 1
Vienne .... 37 C 2
Vierzon .... 27 D 2
Vieux-Boucau-les-Bains ...... 40 A 3
Vif .... 38 A 3
Le Vigan .... 44 A 3
Vigeois .... 34 B 3
Les Vignes .... 44 A 2
Vigneulles-
    lès-Hattonchâtel .... 10 A 3
Vignory .... 19 D 2
Vihiers .... 25 D 2
Villaines-la-Juhel .... 15 D 2
Villandraut .... 41 C 2
Villandry .... 26 A 1
Villard-de-Lans .... 37 D 3
Villars-les-Dombes .... 37 D 1
Villé .... 21 C 2
Ville-en-Tardenois .... 8 B 3
Ville-sur-Tourbe .... 9 C 3
Villebois-Lavalette .... 33 D 3
La Villedieu-du-Clain .... 26 A 3
Villedieu-les-Poêles .... 4 B 3
Villefagnan .... 33 D 1
Villefort .... 44 B 2
Villefranche-d'Albigeois .... 43 C 3
Villefranche-de-Lauragais .... 51 C 1
Villefranche-de-Lonchat .... 41 D 1
Villefranche-de-Rouergue .... 43 C 2
Villefranche-du-Périgord ...... 42 A 2
Villefranche-sur-Cher .... 27 C 1
Villefranche-sur-Mer .... 47 C 3
Villefranche-sur-Saône .... 37 C 1
Villemur-sur-Tarn .... 42 B 3
Villenauxe-la-Grande .... 18 B 1

Villeneuve .... 43 C 2
Villeneuve-d'Ascq .... 3 D 2
Villeneuve-de-Berg .... 45 C 2
Villeneuve-de-Marsan .... 41 C 3
Villeneuve-l'Archevêque ...... 18 B 2
Villeneuve-lès-Avignon .... 45 C 3
Villeneuve-sur-Lot .... 42 A 2
Villeneuve-sur-Yonne .... 18 A 3
Villeréal .... 42 A 2
Villers-Bocage (Calvados) ...... 5 C 3
Villers-Bocage (Somme) .... 2 B 3
Villers-Bretonneux .... 7 D 2
Villers-Cotterêts .... 8 A 3
Villers-Farlay .... 30 B 2
Villers-le-Lac .... 31 C 2
Villers-sur-Mer .... 5 D 2
Villersexel .... 30 B 1
Villerupt .... 10 A 2
Villerville .... 5 D 2
Villiers-St-Georges .... 18 A 1
Vimoutiers .... 5 D 3
Vinay .... 37 D 3
Vinça .... 51 D 3
Vire .... 5 C 3
Vireux-Wallerand .... 9 C 1
Virieu .... 37 D 3
Virieu-le-Grand .... 38 A 2
Vitré .... 14 B 2
Vitrey-sur-Mance .... 20 A 3
Vitry-en-Artois .... 3 C 2
Vitry-le-François .... 19 C 1
Vitteaux .... 29 D 1
Vittel .... 20 A 2
Viverols .... 36 B 3
Le Vivier-sur-Mer .... 14 A 1
Viviers .... 45 C 2
Vivonne .... 26 A 3
Vizille .... 38 A 3
Vizzavona .... 55 D 2
Void .... 20 A 1
Voiron .... 38 A 3
Voiteur .... 30 A 3
Volmunster .... 11 C 3

Volonne .... 46 A 3
Volvic .... 35 D 2
Volx .... 46 A 3
Vonnas .... 37 D 1
Voreppe .... 38 A 3
Vorey .... 36 B 3
Vouillé .... 26 A 3
La Voulte-sur-Rhône .... 45 C 1
Vouvant .... 25 C 3
Vouvray .... 26 B 1
Vouziers .... 9 C 3
Voves .... 17 C 2

W

Wangenbourg .... 21 C 1
La Wantzenau .... 21 D 1
Wasselonne .... 21 D 1
Wassigny .... 3 D 3
Wassy .... 19 D 2
Wimereux .... 2 A 1
Wintzenheim .... 21 C 2
Wissant .... 2 A 1
Wissembourg .... 11 D 3
Wœrth .... 11 D 3
Woippy .... 10 A 3
Wormhout .... 3 C 1

X

Xertigny .... 20 B 3

Y

Yenne .... 38 A 2
Yerville .... 6 A 2
Yeu .... 24 A 3
Yport .... 6 A 2
Yssingeaux .... 36 B 3
Yvetot .... 6 A 2
Yvoire .... 30 B 3
Yzeure .... 28 B 3

Z

Zicavo .... 55 D 3
Zonza .... 55 D 3

A
B
C
D
E
F
G
H
I
J
K
L
M
N
O
P
Q
R
S
T
U
V
W
X
Y
Z

Légende

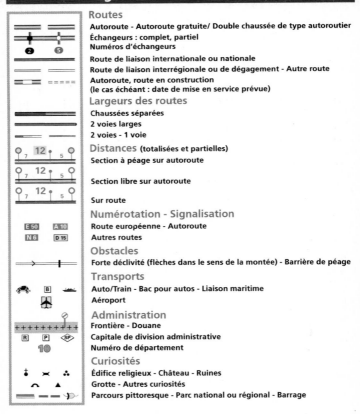

Routes

Autoroute - Autoroute gratuite/ Double chaussée de type autoroutier

Échangeurs : complet, partiel
Numéros d'échangeurs

Route de liaison internationale ou nationale

Route de liaison interrégionale ou de dégagement - Autre route

Autoroute, route en construction
(le cas échéant : date de mise en service prévue)

Largeurs des routes

Chaussées séparées

2 voies larges

2 voies - 1 voie

Distances (totalisées et partielles)

Section à péage sur autoroute

Section libre sur autoroute

Sur route

Numérotation - Signalisation

Route européenne - Autoroute

Autres routes

Obstacles

Forte déclivité (flèches dans le sens de la montée) - Barrière de péage

Transports

Auto/Train - Bac pour autos - Liaison maritime
Aéroport

Administration

Frontière - Douane
Capitale de division administrative
Numéro de département

Curiosités

Édifice religieux - Château - Ruines
Grotte - Autres curiosités
Parcours pittoresque - Parc national ou régional - Barrage

Dressée par la Manufacture Française des Pneumatiques MICHELIN
© 2010 Michelin, Propriétaires-éditeurs
Société en commandite par actions au capital de 304 000 000 EUR.
R.C.S. Clermont-Fd B 855 200 507
Place des Carmes-Déchaux - 63 Clermont-Ferrand (France)
Imprimé en Italie - CANALE - 10071 Borgaro Torinese
Made in France - DL : NOVEMBRE 2010